S0-AKH-608

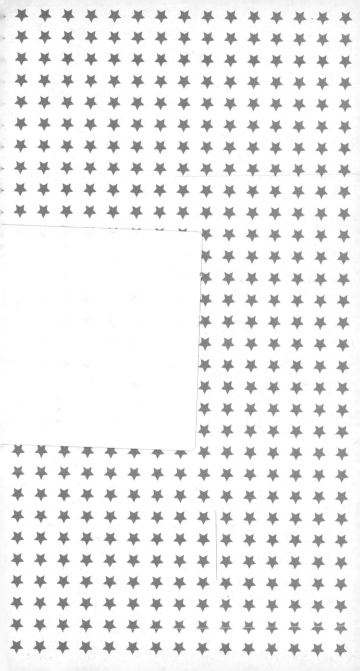

YULIA

DE LA MÊME AUTEURE

Le Tournoi, coll. Intime, Trécarré Jeunesse, 2008.

L'Exilée, coll. Intime, Trécarré Jeunesse, 2007.

Bientôt la maternelle (avec Françoise Tchou),
    Éditions du Trécarré, 2006.

HÉLOÏSE BRINDAMOUR

YULIA

TRÉCARRÉ
Une compagnie de Quebecor Media

Catalogage avant publication de Bibliothèque et Archives nationales
du Québec et Bibliothèque et Archives Canada

Brindamour, Héloïse
Bal des finissants : Yulia
Pour les jeunes de 12 ans et plus.
ISBN 978-2-89568-434-3

I. Titre. II. Titre: Yulia.

PS8603.R559B34 2009   jC843'.6   C2009-940209-2
PS9603.R559B34 2009

Édition : Miléna Stojanac
Révision linguistique : Nadine Tremblay
Correction d'épreuves : Dominique Issenhuth
Couverture : Marike Paradis
Photo de l'arrière plan (couverture) : *Peony Dreams* par Geishaboy500,
www.flickr.com/photos/geishaboy500/
Grille graphique intérieure : Marike Paradis
Mise en pages : Louise Durocher

Cet ouvrage est une œuvre de fiction ; toute ressemblance avec des personnes ou
des faits réels n'est que pure coïncidence. Entre autres, l'école secondaire Cœur-
Vaillant n'existe pas.

Remerciements
Les Éditions du Trécarré reconnaissent l'aide financière du gouvernement du
Canada par l'entremise du Programme d'aide au développement de l'industrie
de l'édition (PADIÉ) pour ses activités d'édition. Nous remercions le Conseil
des Arts du Canada et la Société de développement des entreprises culturelles
du Québec (SODEC) du soutien accordé à notre programme de publication.
Gouvernement du Québec – Programme de crédit d'impôt pour l'édition de
livres – gestion SODEC.

Tous droits de traduction et d'adaptation réservés ; toute reproduction d'un
extrait quelconque de ce livre par quelque procédé que ce soit, et notamment par
photocopie ou microfilm, est strictement interdite sans l'autorisation écrite de
l'éditeur.

© Les Éditions du Trécarré, 2009

Les Éditions du Trécarré
Groupe Librex inc.
Une compagnie de Quebecor Media
La Tourelle
1055, boul. René-Lévesque Est
Bureau 800
Montréal (Québec) H2L 4S5
Tél. : 514 849-5259
Téléc. : 514 849-1388

Dépôt légal – Bibliothèque et Archives nationales du Québec
et Bibliothèque et Archives Canada, 2009

ISBN : 978-2-89568-434-3

Distribution au Canada
Messageries ADP
2315, rue de la Province
Longueuil (Québec) J4G 1G4
Téléphone : 450 640-1234
Sans frais : 1 800 771-3022

Diffusion hors Canada
Interforum
Immeuble Paryseine
3, allée de la Seine
94854 Ivry-sur-Seine Cedex
Tél. : 33 (0)1 49 59 10 10

★ *À ma grand-mère,*
qui n'a rien à voir avec la Baba de Yulia.

À PROPOS DE *BAL DES FINISSANTS*

Il aura lieu le 20 juin prochain…

★ Clara, Mirabelle, Victor, Yulia… trois filles et un garçon qui terminent leur 5e secondaire. Chacun donne son nom au livre dont il est le héros. Chacun est un peu présent dans le livre des autres.

Ils fréquentent tous l'école secondaire Cœur-Vaillant, à Montréal. Ils sont tous invités à participer au même bal des finissants, dont le thème cette année est les années 1960.

Dans ces quatre romans, on découvrira les aventures et les catastrophes, les intrigues et les coups de théâtre, les bonheurs et les calamités, bref, tous les événements qui mènent à l'« événement » de l'année : le bal des finissants. Et même si chaque roman constitue un récit complet, on voudra lire les quatre afin de tout savoir sur ce qui s'est passé cette année au bal.

★ — Yulia Charaski ?

Le plus dur, c'est de commencer. Je veux dire, le plus dur, quand on arrive dans une école nouvelle, dans une ville nouvelle, dans un pays nouveau, le plus dur, c'est d'arriver. Après, on a juste à s'habituer. Pour certains, comme pour ma sœur Valia, il n'y a rien de plus facile que de s'habituer. Elle, c'est bien simple, tout lui va : non seulement les vêtements et les chaussures, mais aussi les changements de coiffure et les changements de continent et les changements de langues. Moi, ce serait plutôt le contraire. J'aime porter le même pantalon plusieurs jours de suite, avec le même genre de chandail, et j'ai la même coupe de cheveux depuis mes dix ans. Les mêmes amies depuis la maternelle. Le même copain depuis trois ans. Le même sourire, le même rire, les mêmes yeux depuis ma naissance. Bref, je suis incapable de bouger. Alors pour ce qui est de m'habituer, je ne dirais pas que je suis la plus grande experte. Sauf que là, je n'avais pas le choix.

— Yulia Charaski ?

Le voilà qui recommence. Il doit m'avoir vue, pourtant, je suis au premier rang, juste sous son nez. Je ne suis quand même pas si invisible, non ? Au début, je croyais vraiment qu'il faisait exprès de prononcer mon nom n'importe comment. Mais en fait non, il y met toute la bonne volonté du monde, sans jamais réussir. Je devrais être plus gentille avec lui. En général, je ne suis pas méchante. Mais je me suis juré la semaine dernière de ne pas répondre « présente, monsieur Pigeon ! » tant qu'il n'aura pas prononcé mon nom correctement, exploit qu'il n'a jusqu'ici jamais accompli. Pauvre, pauvre M. Pigeon, il n'est vraiment pas doué pour les langues. Avec lui, l'appel dure toujours au moins cinq minutes. Les autres profs se contentent de jeter un vague regard sur l'ensemble de la classe, de lancer mollement un « tout le monde est là ? » avant de commencer leur cours. Mais pas lui. Prénom, nom de famille, les trente et un élèves y passent, et si on a le malheur d'être en retard on passe un mauvais quart d'heure. Il fait ça pour gagner du temps, je ne suis pas dupe. D'ailleurs, personne ne l'est. Tout le monde sait qu'il est au bout du rouleau et qu'il compte les jours avant sa retraite. Moi, c'est à peine s'il s'est aperçu de mon arrivée dans son cours, il y a trois semaines. Il a toujours l'air un peu surpris quand il lit mon nom sur sa liste de présences, comme si secrètement il se demandait s'il ne s'était pas trompé de classe.

Je souris un peu mais pas trop, je lève le menton, je me redresse tout doucement sur ma chaise… Mirabelle, ma voisine de pupitre, que tous les autres surnomment l'échalote à cause de sa minceur, me dévisage un peu bizarrement. Elle n'a pas compris mon manège. Et tout à coup il me voit, comme par enchantement. Ses yeux s'écarquillent et il dépose sa feuille pour mieux m'observer. Il prend bien son temps et ça se voit.

— Yulia ? Mais tu es là ! Pourquoi ne dis-tu pas « présente », comme tout le monde ?

— Pardon, monsieur. Je n'avais pas compris mon nom.

Deux ou trois rires résonnent dans le fond de la classe, des rires qui ne prennent même pas la peine de se cacher. Ça fait quand même trois jours de suite que je lui fais le coup de la même réplique, et lui ne bronche pas.

— Sois plus attentive, à l'avenir.

Je hoche la tête et il reprend l'appel là où il l'a laissé. C'est complètement inutile, cette bataille non déclarée, mais au moins on perd quelques minutes de son interminable discours sans queue ni tête sur l'imparfait du subjonctif et autres subtilités de la langue.

— Bon... fait M. Pigeon en consultant sournoisement sa montre, nous allons commencer par réviser les principes de base du discours argumentatif...

Ne croyez pas que je sois calée en français, loin de là. Quand je suis arrivée dans cette école, au mois de janvier dernier, ils m'ont tout de suite placée dans ce qu'ils appellent ici une classe d'adaptation scolaire, c'est-à-dire une classe pour les élèves qui présentent un retard d'apprentissage. Ou qui ont un blocage quelconque à régler. On ne voit que les matières principales (français, maths et anglais) et on oublie les matières complémentaires, ce qui selon moi a l'effet pervers d'accentuer encore plus notre retard. D'ordinaire, on est censé n'y rester que provisoirement, le temps de se réintégrer dans le système, mais certains sont là depuis le début de leur secondaire et ne sont pas près d'en repartir. Dans mon cas, c'était différent. Ils se sont tout de suite rendu compte que je n'avais pas vraiment de problème d'apprentissage. C'est vrai, je n'ai aucun mérite, mais j'aime travailler. Et je connaissais déjà assez de français avant de venir pour pouvoir me débrouiller. Enfin, au moins pour comprendre. C'est Michel qui m'a appris. Je regarde par la fenêtre – au coin de mon œil gauche, en tournant un peu la tête, j'ai une vue complète sur le grand saule de la cour –, je me laisse bercer par la voix monocorde du professeur. J'aime bien les voix, surtout les voix lisses et un peu ronflantes comme la sienne, comme le bruit des vagues doucement sur les rochers. Il fait beau pour la première fois depuis presque deux semaines, aujourd'hui il y a des flaques de soleil sur l'asphalte, et je voudrais être dehors et que le soleil inonde ma peau.

C'est drôle comme le paysage change vite, ici à Montréal. Je me souviens encore de ma descente de l'avion – le traumatisme absolu. Au moins maman avait pensé à nous acheter des manteaux, des écharpes et des chapeaux, tout ce qu'il faut pour une expédition au pôle Nord. J'avais cru qu'elle exagérait, comme toujours avec sa manie de voir des catastrophes partout. Mais pour une fois elle avait eu raison. Le vent qui soufflait ! Et surtout la neige.

Surtout le froid, aussi. De ma vie je n'ai jamais eu si froid. Et encore, on chauffait au maximum, dans la maison. Mais pendant tout le premier mois, je ne pouvais pas empêcher mes dents de claquer et mes doigts de bleuir à la moindre exposition à l'extérieur, et des frissons me secouaient en permanence de la tête aux pieds. Les petits, ils ne s'en rendaient même pas compte, eux. Ils aimaient beaucoup trop les bonshommes de neige, les batailles de boules de neige et tout ce qui a à voir de près ou de loin avec la neige pour se préoccuper du froid et des menaces de maman leur sommant de rentrer à l'intérieur immédiatement, ou ils allaient voir! Ils ont vu, en effet. Le résultat: Sacha a attrapé trois otites en un mois, Assia, un rhume qui l'a clouée au lit pendant deux semaines, et Meir des engelures qui l'ont mené à l'hôpital. Et qui devait s'occuper d'eux et satisfaire le moindre de leurs désirs? Moi, bien sûr, maman estimant qu'il n'était pas de son devoir de prendre soin d'enfants désobéissants.

Mais ce qui m'a frappée le plus, je crois, dans cette ville bizarre et glacée, c'est le silence. Le silence, comme si tout était enveloppé dans la neige, un cocon moelleux de neige. Le soir, particulièrement, quand on marche dans une rue tranquille, les bruits sont étouffés, on se croirait seul au monde. Que la neige qui crisse sous nos pas. En pleine ville, voilà, et soudain on se retrouve complètement seul. J'en ai fait l'expérience pour la première fois pas long-temps après notre arrivée. Peut-être la deuxième ou la troisième semaine de janvier. Je venais de commencer l'école, j'étais dans un état de stress pas possible, je ne parlais à personne sauf à Raphaël, mais lui ça ne compte pas vraiment. Je détestais être venue vivre ici. Je détestais l'idée d'y rester pour une durée indéterminée – peut-être six mois, peut-être un an, peut-être dix ans, mes parents évitaient le sujet chaque fois que je l'abordais. Je pleurais tous les soirs, à ce moment-là. Je ne suis pas une grosse pleureuse, pourtant. Rien qui se compare à ma mère. Justement, elle était tellement fatiguée de me voir dans cet état qu'elle n'arrêtait pas de me jeter dehors sous prétexte d'aller faire des courses. Alors que les autres ont la stricte interdiction de mettre un pied hors de la cour sans sa surveillance rapprochée, maman n'a jamais vraiment eu peur pour moi.

— Tu es tellement raisonnable, Yulia ! Elle le dit tout le temps, normalement avec un regard en coin vers Valia, pour mieux accabler sa deuxième fille de reproches.

Étonnamment, peut-être parce que l'idée venait de ma mère, ces sorties du soir les deux premiers mois m'ont fait du bien. Je marchais jusqu'au coin de la rue, je dépassais l'épicerie et j'allais faire un, deux ou encore trois tours du parc, selon mon humeur du moment. Et j'entendais le silence autour de moi, que rien ne troublait. Soudain il ne faisait plus froid, ou bien le froid rétrécissait et prenait une moins grande place. Mes pas craquaient et crissaient, de la buée sortait de ma bouche, parfois un écureuil me croisait en me fixant de ses petits yeux avides… j'ai peur des écureuils. Sinon, souvent j'étais toute seule, mis à part quelques promeneurs de chiens. Je respirais lentement, pour faire de longues colonnes de buée horizontales. Je pensais à ma ville de là-bas, où il n'y a jamais de neige, où il fait toujours soleil. Parfois je pleurais encore un peu aussi, il faut bien l'avouer. Mais de m'arrêter et de lever les yeux vers le ciel, et de temps en temps des étoiles se frayaient un chemin dans la croûte glacée des nuages… De m'arrêter et de regarder, au beau milieu de ce silence… Alors je ne me sentais pas trop loin de chez moi. Je rentrais à la maison par le même chemin, j'essayais de marcher dans mes traces de pas pour ne faire qu'une simple ligne qui ne mènerait nulle part. Je passais par l'épicerie et la moitié du temps j'avais oublié ce que maman m'avait demandé d'acheter, donc je revenais sans rien et elle ne s'en apercevait même pas.

Depuis qu'ils m'ont intégrée au programme régulier, je fais moins souvent de longues promenades le soir, et puis la neige a fondu au mois de mars. Le parc est envahi par des gens occupés à courir, à jouer au basket-ball ou à ce sport qu'ils appellent le hockey sur glace mais, visiblement, ça ne les dérange pas de jouer sans glace. Il y a des cris d'enfants qui résonnent un peu partout. Plus vraiment de place pour le silence. C'est dommage… mais de toute façon je vais mieux, maintenant, beaucoup mieux. Je ne dirais pas que je me suis habituée, non, mais je n'ai pas le temps de réfléchir ou de m'apitoyer sur mon sort. L'hiver est fini, à présent, bien fini, et même si j'en regrette certains aspects je suis contente de voir un peu de vert. Tante Zena, qui habite le quartier depuis dix ans (c'est d'ailleurs grâce à elle que papa a trouvé la maison), dit que le mois de mai est le mois le plus beau à Montréal. Le mois où les arbres fleurissent et où la vie se met à sortir de terre. Je trouve qu'elle a raison, en tout cas pour ce qui est d'aujourd'hui. On est le 1er mai. Il y a exactement quatre mois que je suis arrivée au Canada.

CHAPITRE PREMIER

★ Mes parents ont commencé à parler sérieusement de déménagement il y a un an environ. Mais je sais que papa n'était pas heureux à Tel-Aviv, et encore moins ailleurs en Israël. Il est arrivé là-bas en 1989, avec ses parents et sa sœur. Mes grands-parents avaient rêvé d'Israël toute leur vie, sans jamais réussir à quitter l'URSS. Et finalement, peu de temps après avoir atteint leur but, ils sont morts. Papa ne savait pas trop quoi faire, alors : rester, repartir ? Comme à ce moment-là la communauté russe prenait en charge ceux qui venaient d'immigrer, il s'est facilement trouvé un emploi, puis il a rencontré maman… Ils se sont mariés et se sont installés à Tel-Aviv, où je suis née, comme tous mes autres frères et sœurs. J'ai passé toute ma vie dans le même quartier, dans la même rue, dans la même maison. À deux pas de la mer, on habitait, à quatre rues à l'est pour être précis. Mais au fond, Tel-Aviv n'était qu'une escale, voilà ce que papa répétait tout le temps. Quand les problèmes ont recommencé au pays, quand les attentats se sont multipliés, quand de plus en plus de voisins se sont mis à voter pour Israël Beytenou… Papa disait qu'on n'était qu'en transit à Tel-Aviv. Il le disait tellement souvent que j'ai fini par ne plus y croire.

Quant à maman… pour elle, c'est plus compliqué. Elle aussi ne se sentait pas tellement chez elle en Israël, même si elle y a passé la plus grande partie de sa vie. Elle s'ennuyait de tante Zena, elle se disputait constamment avec sa mère, et depuis la naissance de Gavriella elle était fatiguée tout le temps, ce qui fait qu'elle avait tendance à exagérer tous les problèmes causés, selon elle, par le pays qui s'en allait à la dérive. En plus, papa n'était jamais là, il travaillait très tard le soir et maman ne se couchait jamais avant qu'il n'arrive. Maman lui criait après et la plupart du temps ça finissait mal.

Un jour, vers la fin avril de l'année dernière, papa est rentré plus tôt que d'habitude. Valia était partie à la plage avec ses copains, maman était chez la voisine avec Gavriella. Moi je gardais les cinq autres en essayant de faire mes devoirs et en parlant au téléphone avec Valérie. Papa est entré dans la cuisine et il m'a vue. Il a pris un air grave et il a dit :

— Raccroche le téléphone, Yulia. Il faut que je te parle de quelque chose d'important.

Il semblait si sérieux que j'ai coupé Valérie en plein milieu de sa phrase.

— O.K., Valérie, je dois y aller. On se voit demain, salut.

— On ne peut pas aller dans un endroit plus tranquille ? a demandé papa.

Roni était en train de poursuivre Assia avec une araignée morte en la menaçant de la lui faire avaler.

— Roni et Assia, vous allez jouer dehors tout de suite ! ai-je crié de toute la force de mes poumons.

— Mais il arrête pas de me courir après-euh, a protesté Assia de sa voix stridente et plaintive.

— Je m'en fiche. Allez faire ça dehors. Et Roni, lâche cette araignée.

— Non-non-non, je la lâcherai pas, bla-bla-bla…

Je les ai attrapés tous les deux par le bras et je les ai jetés dans la cour arrière, où Meir et Sacha complotaient en fabriquant je ne sais quelle invention diabolique en compagnie du non moins diabolique fils de la voisine. J'ai fermé la porte à clé, et je me suis tournée vers papa, qui me regardait toujours, planté au beau milieu de la cuisine, les bras ballants. Il n'a aucune autorité sur ses propres enfants. Il s'est assis sur une chaise branlante, avec une expression égarée sur le visage. Je me suis assise aussi, j'ai attendu qu'il parle.

— Yulia… je voudrais avoir ton avis avant d'en parler à ta mère. Où est-elle, d'ailleurs ?

— Chez les Markov. Pourquoi ? Qu'est-ce qui se passe ?

— Oh, rien, rien… Enfin, rien de grave…

Il essayait de minimiser les choses. Je connais papa. Encore un mot de ma part et il se tairait définitivement. Alors j'ai baissé les yeux sur mes cahiers et j'ai fait semblant de me concentrer sur mon exercice de maths. Je sentais son regard sur moi mais j'ai continué à l'ignorer, et mon cœur battait parce que je savais qu'il répétait dans sa tête ce qu'il voulait me dire et qu'il se demandait comment commencer. Il se tortillait sur son siège comme un bébé, les gémissements poussés par la pauvre chaise trahissaient son stress.

— Yulia ? Tu m'écoutes ?

J'ai déposé mon crayon et fermé mon livre de maths. Par la fenêtre ouverte, on entendait les cris des autres enfants de la famille Chtcharanski, cacophonie de sons criards pourtant dominée par les récriminations d'Assia. J'ai planté mes yeux dans ceux de papa et il ne les a pas détournés.

— Tu sais que… il y a plusieurs années que ta mère et moi songeons à déménager… depuis que ta tante Zena est partie, en fait.

Tante Zena, c'est la sœur de papa. Elle a rencontré son mari lors d'un voyage organisé aux chutes Niagara, et elle s'est installée avec lui au Canada, il y a dix ans environ. Elle nous téléphonait chaque mois pour s'informer de « notre situation », comme elle disait, et nous expédiait chaque Noël des colis pleins de nourriture avec une carte signée « Joyeux Noël ! ». Ça rendait maman folle de rage. Je sais qu'elle enviait tante Zena, et surtout qu'elle se sentait seule depuis son départ. Tante Zena s'est beaucoup occupée de moi, de Valia et de Nathan à notre naissance.

— Tu vois, lançait-elle à Papa les soirs où il rentrait trop tard, elle n'a pas peur d'envoyer ses enfants seuls à l'école, elle ! Elle n'a pas peur de prendre l'autobus ou de sortir la nuit, elle ne se sent pas traquée à chaque pas qu'elle fait dans la rue !

Papa essayait de la raisonner malgré sa propre inquiétude.

— On n'est quand même pas les plus touchés, ici, et surtout pas dans le quartier… Tu exagères un peu.

Maman ne voulait rien entendre. Certains jours, elle ne décolérait pas.

— Tais-toi ! Tu ne te rends compte de rien, évidemment ! Tu es toujours parti, toujours sur les routes, parfois je ne peux même pas te joindre pendant une semaine entière ! Mais ça t'est bien égal que je m'inquiète, n'est-ce pas ? L'important pour toi, c'est de pouvoir aller et venir en toute liberté comme un jeune homme, mais tu n'es plus un jeune homme, Daniel, n'oublie pas que tu as une famille et des enfants qui s'inquiètent pour toi. D'ailleurs dans ce pays rien n'est plus sûr, on ne sait jamais ce qui peut arriver, tu es donc inconscient ?

Parfois, à un certain point de ce discours, papa l'interrompait et tentait de se défendre, mais elle repartait à la charge. Quand ce n'était pas à cause de tante Zena que ses lamentations éclataient, c'était une bêtise commise par l'un de nous – le plus souvent par Valia ou Sacha et Meir –, ou alors une décision du gouvernement qu'elle trouvait stupide, une remarque déplacée émise par ma grand-mère (« Elle ne s'occupe que de ce qui ne la regarde pas, celle-là ! ») qui mettait le feu aux poudres. Et toujours, toujours la même conclusion :

— Il faut partir, Daniel.

Parfois, mais plus rarement, papa se fâchait lui aussi.

— Et où voudrais-tu qu'on aille ? demandait-il sans jamais hausser le ton. Retourner en Russie, dans ce champ de ruines ? Ou alors à la campagne, pour que je me recycle en fermier ? Ou à Jérusalem, peut-être, à Haïfa ? Il n'y a pas de travail, là-bas, tu le sais bien ! Et ce n'est pas moins dangereux.

Maman se mettait à pleurer, et papa devait la consoler. Ce n'était pas sa faute, évidemment. Lui aussi voulait partir.

J'avais bien remarqué, au fil des mois qui ont suivi la naissance de Gavriella, que maman était de plus en plus fatiguée, de plus en plus surmenée et malheureuse. Je faisais de mon mieux pour l'aider, et je sais que papa aussi, malgré son travail. Mais le jour j'étais à l'école, elle se sentait seule avec les trois petits. Roni et Assia étaient encore trop jeunes pour le jardin d'enfants, elle n'avait pas tellement d'amis à Tel-Aviv, à part un peu Irène Bernard et Mme Markov, la voisine. Et par-dessus tout, elle ne supportait plus Baba. C'est sûr que ma mère n'a pas très bon caractère. Mais en un sens, je la comprends. Pour elle la fuite était la seule issue possible.

Alors, quand papa s'est assis en face de moi à la table de la cuisine, j'ai tout de suite su de quoi il serait question.

— Bon, Yulia. J'ai beaucoup réfléchi. Beaucoup. Il y a longtemps que ta mère et moi en parlons, sans que jamais rien ne se concrétise... Je dois t'avouer que nous étions découragés que les choses n'avancent pas plus vite, on avait essayé d'autres solutions, mais ça ne marchait pas, ma firme ne me laisse aucune liberté. Bref, tu es au courant que nous ne sommes pas satisfaits ici, non?

Il a fait une pause, j'ai continué à me taire. Il ne me cacherait rien. C'est toujours à moi qu'il parle, quand il veut un conseil ou juste quand il veut dire quelques mots sans qu'on lui crie dessus.

— Donc (il hésitait, à présent)... il y a du nouveau. Un de mes collègues — tu sais, Shlomo, le grand chauve — connaît quelqu'un, un frère ou un beau-frère ou un cousin ou je ne sais pas, qui dirige la filiale montréalaise d'une jeune entreprise américaine, et figure-toi qu'il recherche quelqu'un pour un poste correspondant exactement à mon profil professionnel!

Il s'enthousiasmait. J'en perdais des bouts mais lui s'enflammait de plus en plus à la perspective d'une nouvelle et excitante carrière!

— J'ai postulé il y a quelques semaines, j'attendais des nouvelles sans trop y croire, après tout pourquoi me prendraient-ils moi et pas un étudiant bien de chez eux fraîchement sorti de l'université... Mais je crois que le piston a fonctionné, ils m'ont appelé ce matin, j'ai eu le poste!

— …

— Ben, tu ne dis rien ?

— Attends, là. Je ne suis pas sûre de comprendre. Tu pars travailler où ?

— Pas *je* pars travailler ! *On* part !

— Mais où ?

— À Montréal ! Dans la même ville que ta tante Zena, tu te rends compte ? C'est ta mère qui va être contente, depuis le temps qu'elle me parle de la chance de Zena ! Et toi, qu'est-ce que tu en penses ?

Il a enfin semblé se rappeler la raison pour laquelle il m'en avait parlé à moi, et non pas à maman en premier.

— Moi… (j'ai haussé les épaules). Je ne sais pas. Tu m'annonces ça comme ça, sans explication… J'imagine que j'ai besoin d'y réfléchir.

— Ah oui, c'est vrai. C'est vrai, ma fille. Tu es sage, toi.

Il s'est gratté le front. Il avait l'air tout penaud, soudain.

— Mais non, papa. Je trouve ça bien, ne t'inquiète pas pour moi. Parles-en à maman, je parie qu'elle va sauter de joie. C'est seulement que… je ne pensais pas que vous étiez sérieux. Enfin, tu vois ce que je veux dire ; ça fait des années que vous en parlez sans que rien ne se passe, et maintenant…

À ce moment, un bruit infernal a retenti dans le jardin et une armée s'est mise à tambouriner contre la porte de la cuisine. J'ai bien été obligée d'ouvrir, sous peine de me faire assassiner. La discussion entre mon père et moi a ainsi pris fin, et quand maman est rentrée peu de temps après, mon père l'a convoquée dans leur chambre pour une « grande nouvelle ». Moins d'une minute plus tard, on a entendu maman pousser un grand cri de joie.

— Je ne peux pas croire que tu t'en ailles.

Valérie et moi étions assises par terre dans son salon et elle me regardait en secouant la tête, les yeux écarquillés. J'ai imploré le ciel pour qu'elle ne pleure pas. Je savais que si elle se mettait à pleurer je ne pourrais pas résister longtemps.

— Yulia. Yulia. Tu es sûre, tu es certaine que c'est une décision définitive ?

— Définitive, irrévocable, tout ce que tu veux, mais je suis sûre qu'on s'en va, oui.

— Ce n'est pas possible, enfin ! Tes parents sont tombés sur la tête !

— Je sais. Mais qu'est-ce que tu veux que je fasse ? Que je reste toute seule à Tel-Aviv ?

— Et pourquoi pas ? Le temps de finir ton bac. Après tu les rejoindrais. Tu pourrais habiter chez nous !

Valérie et ses plans désastreux. Il ne servait à rien d'essayer de la raisonner. Nous étions à la mi-avril. J'avais retardé le plus possible le moment de lui annoncer la catastrophe, mais me retenir était trop dur. Surtout qu'en une semaine tout le quartier avait fini par l'apprendre. Et tout le monde en parlait.

— Les Chtcharanski s'enfuient au Canada !

Les gens s'accrochaient à cette nouvelle comme si leur vie en dépendait.

— Ne les écoute pas, disait maman. Ils sont jaloux, voilà tout.

Jaloux, je me demandais bien pourquoi ils l'auraient été. Et Valia qui se pavanait devant ses amies en arborant un sourire supérieur. Je ne comprenais rien à cette excitation. On n'allait quand même pas à Hollywood ! La boulangère me regardait d'un œil mauvais quand j'allais chercher le pain.

— Alors quoi, lançait-elle, de préférence quand il y avait un monde fou pour l'entendre, on n'est pas assez bien pour vous, les Chtcharanski ?

Je lui souriais sans répondre. Si elle avait su comme il m'en coûtait de partir ! Le pire, c'est que j'avais l'impression d'être la seule dans ce cas. Mes frères et sœurs – surtout Valia et Nathan, en fait, les autres étaient trop petits pour se rendre compte vraiment – n'auraient pas pu se montrer plus enthousiastes. Sacha et Meir ne maîtrisaient plus leur hâte de rencontrer enfin leur cousin Ben, le fils de tante Zena. Valia parlait du « charme irrésistible des hommes canadiens », comme si elle y connaissait quelque chose, juste pour le plaisir de voir maman s'énerver. Nathan ne cessait d'interroger mon père sur les sports qui se pratiquaient là-bas. Et Roni et Assia couraient partout dans la maison en se chamaillant encore plus que d'habitude.

Et moi, dans tout ça ? Moi, je faisais péniblement mes adieux. On partirait vers la fin de décembre. J'en avais encore pour quelques mois à me morfondre. M. Haussmann, mon vieux professeur de maths, m'avait prise à part un soir après son cours pour me révéler sa déception de ne plus m'avoir dans sa classe l'année prochaine.

— Quel dommage, Yulia, s'était-il exclamé tout dépité, avec un accent hongrois encore plus prononcé que d'habitude. Vous êtes une élève si douée ! Ah, j'aurais pu faire quelque chose, avec vous !

C'était vrai. M. Haussmann était mon professeur de maths depuis trois ans. C'était lui qui m'avait montré la magie des nombres et des équations, et toutes les subtilités infinies qu'on trouvait dans cette matière. J'étais son élève préférée, et il le cachait mal. Pour moi, il représentait l'école et le bonheur que j'avais d'étudier. J'ai toujours aimé étudier, surtout les maths, en fait. Peut-être que ça va paraître étrange, mais j'ai l'impression d'entrer dans un autre monde quand je fais un exercice. Un monde que moi seule et quelques autres initiés comme M. Haussmann connaissent. Je vais, j'avance très loin au milieu des problèmes et je les résous un par un et à la fin il y a un trésor de clarté qui m'apparaît, qui n'apparaît qu'à moi. La majorité des élèves trouvaient que M. Haussmann n'était rien d'autre qu'un vieux fou, mais moi j'étais bien d'accord avec lui quand il disait que tous les mathématiciens sont des artistes, des poètes qui ont une imagination plus débordante que les écrivains, les peintres ou les musiciens. Les maths, c'est de l'art. J'aimais la façon dont il les enseignait. M. Haussmann me manque, je crois.

Et puis Michel. Michel Bernard, le frère de Valérie. Valérie, qui est (était ? je ne sais plus) ma meilleure amie. Elle habitait à deux rues de chez moi. On est nées à une semaine d'intervalle. Mais ce n'est pas d'elle que je veux parler. Avec elle, c'est plus simple. Même si je me fais d'autres amis, il n'y a rien qui changera entre nous deux. On pourra toujours se parler, ou se revoir dans dix ans sans malaise, et je ne l'oublierai pas. Pour Michel… c'est autre chose. Je l'ai toujours aimé. Je veux dire, tout le monde a toujours su qu'on finirait ensemble. La première fois que je suis sortie avec lui, c'est-à-dire juste lui et moi, j'avais treize ans et lui quinze. Maman le trouvait un peu trop vieux pour moi, mais papa avait fini par la convaincre, comme il était le fils d'Irène et un « jeune homme sympathique », elle avait dit oui. Je ne me souviens même pas du moment où on est tombés amoureux l'un de l'autre, tellement c'était gravé dans la pierre qu'un jour où l'autre on se marierait. C'est à Michel que j'ai annoncé mon départ en dernier. Il m'en a voulu un peu, je pense, que je le dise d'abord à sa sœur. Lui aussi a essayé de me convaincre de rester. Il disait qu'on pourrait se fiancer, le temps qu'il fasse son service militaire, et que plus tard on s'installerait ensemble. J'avoue que j'y ai pensé, moi aussi. Mais maman a fait un scandale, et cette fois papa était d'accord avec elle, alors j'ai laissé tomber.

— Qu'est-ce que c'est que cette histoire ? Tu es bien trop jeune pour te fiancer ! Je te croyais plus raisonnable, Yulia !

Elle n'a pas tort. Je suis trop jeune pour rester ici sans ma famille, trop jeune pour me fiancer, même si c'est avec Michel. Il n'a pas voulu m'accompagner à l'aéroport, quand on est finalement partis à la fin de décembre. Ou plutôt il n'a pas pu, il était déjà parti dans le Golan pour son service. C'est Valérie qui est venue, avec sa mère. Lui, il m'a écrit une lettre. C'était la première fois que je recevais une lettre de lui, depuis trois ans qu'on était officiellement ensemble. Une longue lettre de cinq pages, une vraie lettre d'amour. Pour lui qui ne parle pas beaucoup, c'était un véritable exploit. Je l'ai lue dans l'avion, Assia était assise à côté de moi, elle dormait. Le reste de la famille était éparpillé un peu partout, on n'avait pas réussi à obtenir des places ensemble. Heureusement. J'ai lu ma lettre une fois, deux fois, trois fois, j'ai pleuré, je me suis endormie. Mais je savais. Je savais que ce n'était pas une lettre d'adieu. C'était une lettre d'au revoir, une lettre qui signifiait non seulement « je vais m'ennuyer de toi » et « je ne t'oublierai jamais », mais aussi « ce n'est pas fini ». Entre nous, non, il n'y avait rien de cassé ou de détruit. Juste un peu d'attente douloureuse. Alors ce n'était pas grave. Après son service militaire, dans deux ans, il viendrait me rejoindre ou moi je reviendrais en Israël. Et on vivrait ensemble. Et on serait heureux. À cet instant, dans l'avion, la situation me semblait beaucoup plus claire, grâce à la lettre. Je me disais : « Comment je pourrais l'oublier, cesser de l'aimer ? Même en cent ans je ne pourrais pas. On est fait l'un pour l'autre. » Maintenant… Disons qu'il s'est passé tant de choses depuis mon arrivée au Canada, tant de repères à trouver et de rencontres… Michel me paraît de plus en plus lointain.

CHAPITRE DEUX

★ Quand je sors de l'école, une bouffée de chaleur m'accueille. J'ai encore mon manteau d'hiver sur moi, je me sens idiote devant toutes ces filles bras et jambes nus. C'est si soudain et inattendu que je me suis crue à la maison, pendant une ou deux secondes. Mais tout de suite je vois Min Thu qui m'attend, appuyée à la grille. Elle me fait de grands signes en sautillant sur place, pour être sûre que je ne la manque pas. Je m'avance vers elle en enlevant mon manteau. Il fait chaud. C'est bizarre d'avoir chaud à nouveau. Min Thu me prend par le bras et m'entraîne hors de la cour. Elle a l'air contente de me voir.

— Yulia, tu sais pas quoi ? J'ai trouvé la robe parfaite ! Il faut que tu viennes l'acheter avec moi !

J'ai rencontré Min Thu au début du mois de février. Elle est assise à côté de moi dans le cours de maths avancées. Honnêtement, je ne sais pas vraiment ce qu'elle fait là, et d'ailleurs elle non plus. Vers la troisième semaine après mon arrivée à l'école, quand ils se sont rendu compte que je m'ennuyais à mourir dans le cours de maths de la classe d'adaptation, ils m'ont expédiée dans le programme de maths régulier. Mais le prof a bien vu que je perdais mon temps là aussi. Et à vrai dire, le cours de maths avancées n'est pas particulièrement difficile non plus, même si j'ai manqué la moitié de l'année. Min Thu était tout simplement en train de mourir quand je suis arrivée dans sa classe. Elle regardait le prof avec des yeux paniqués, tournait compulsivement les pages de son cahier de notes sale et maculé de ratures. Moi, c'était le contraire. J'étais tellement contente et soulagée de retrouver enfin quelque chose que je connaissais ! J'attendais le cours de maths avec impatience, je ne pouvais pas m'empêcher de sourire en entrant dans la classe, la prof me souriait aussi et me saluait parce qu'elle savait que j'étais douée, *j'existais.* Comme c'était bon d'exister ! Parfois je jetais un coup d'œil sur les devoirs de Min Thu et je ne pouvais pas m'empêcher de soupirer. J'aurais bien voulu l'aider, mais elle ne tournait jamais la tête de mon côté. Je crois qu'elle avait peur que je pense qu'elle voulait copier sur moi. Mais ça m'aurait bien été égal de toute manière qu'elle copie sur moi. Un jour pourtant, Mme Lagacé, qui aime bien essayer de nouvelles « méthodes pédagogiques », nous a donné une liste de problèmes à résoudre en équipes de deux. C'était une espèce de course de relais avec un prix au bout, je n'ai pas trop compris le principe, bref c'était n'importe quoi pour nous obliger à travailler et à nous « entraider ». Mme Lagacé est une femme assez motivée. Naturellement, comme je suis près du mur et que Min Thu est ma seule voisine, je lui ai proposé de se mettre avec moi. Je m'en fichais complètement qu'elle soit nulle, je ne voulais juste pas me retrouver toute seule. Les autres élèves de la classe me parlaient à peine. Pas par mépris, non je ne crois pas, seulement ils ne me remarquaient pas. Je ne suis pas la fille la plus exubérante qui soit. Alors, j'ai pris mon courage à deux mains, j'ai essayé de gommer mon accent du mieux possible, je lui ai touché le bras pour qu'elle se retourne, et j'ai dit :

— On se met ensemble, d'accord ?

— Oh, je ne sais pas si c'est une bonne idée, a-t-elle répondu en rougissant.

Je ne me suis pas laissée démonter. Toutes les équipes étaient déjà formées et bavardaient joyeusement et nous étions les deux seules qui restaient.

— Comment ça, pas une bonne idée ? Allez, je suis toute seule et toi aussi… Et j'aimerais bien gagner ce prix (je disais vraiment n'importe quoi)… donc on a intérêt à se dépêcher.

— Tu sais, avec moi ça ne vaut pas vraiment la peine. Je ne vais pas te servir à grand-chose.

— Bon, je suis avertie !

Je lui ai fait un clin d'œil et j'ai collé mon bureau au sien. J'aime bien travailler toute seule, mieux en tout cas qu'argumenter avec quelqu'un qui croit avoir raison et qui a inévitablement tort. Je ne veux pas me vanter, mais j'ai rarement tort en ce qui concerne les maths. Min Thu me regardait faire et essayait de me suivre. Au moins, elle faisait un effort. Elle n'arrêtait pas de s'excuser de me ralentir.

— Mais tu ne me ralentis pas du tout. Tiens, regarde ici…

Et je lui expliquais ce que je faisais. On a fini les premières, sans faute, et on a gagné un congé de devoirs. Min Thu a sauté de joie, comme une petite fille. En plus, elle ressemble vraiment à une petite fille. Toute petite et délicate, avec de longs cheveux noirs qui coulent comme de l'encre dans le bas de son dos... Elle a une voix aiguë, aussi, comme celle d'une enfant. Je ne le lui ai jamais dit, mais souvent elle me fait penser à Assia. Assia dans ses meilleurs jours, bien sûr. Nous sommes sorties de la classe ensemble, c'était la fin de la journée et je rentrais chez moi garder les petits. Elle m'a remerciée.

— Dis donc, tu es vraiment intelligente, Yulia !

Elle avait retenu mon nom. Elle me regardait avec admiration. J'ai souri, j'ai fait ma modeste.

— Bof, non, seulement en maths...

— Ouais, j'aimerais bien avoir la moitié de ton cerveau !

— Mais, me suis-je risquée à lui demander, tu as vraiment de la difficulté dans ce cours, non ?

Ma lenteur à m'exprimer m'exaspérait, mais il fallait bien que je me force pour entrer en contact avec d'autres êtres vivants.

— Je veux dire, il y a un moment que je t'observe, et...

— Je sais, a-t-elle soupiré. Je voulais aller en régulier, mais mes parents ont insisté. Je ne voulais pas les décevoir... sauf qu'ils vont être déçus quand même, parce que je suis en train de couler mon année ! Et Mme Lagacé, eh bien, elle a abandonné avec moi. Au début de l'année, elle m'aidait comme elle pouvait, mais elle s'est vite aperçue que ça ne servait à rien. Je déteste les maths, voilà ce qu'il y a. Et personne ne peut rien faire contre ça.

— Mmm… Tu vois, moi je n'ai pas de problème. Et j'ai du temps ! Tu voudras que je te donne une aide ?

Je n'étais pas certaine que ma phrase soit grammaticalement correcte, mais elle comprendrait quand même.

— Yulia ! Tu ferais ça ? Vraiment ? Tu me sauverais la vie !

Elle s'est arrêtée au milieu du couloir et m'a pris les mains. J'ai cru qu'elle allait les embrasser, tellement elle était contente.

C'est ainsi qu'on est devenues amies, Min Thu et moi. Elle venait chez moi après l'école, deux ou trois fois par semaine, et je l'aidais à faire ses devoirs. Je dois dire qu'elle n'a pas une très forte capacité de concentration, donc on travaillait peut-être dix minutes, puis elle se mettait à parler de tout et de rien, sans me laisser le temps de la remettre dans le droit chemin. Elle parlait de préférence du bal. C'est par elle que j'en ai appris l'existence, en fait. En Israël, ça ne marche pas exactement de la même manière. Bon, il y a bien une « soirée des finissants » pour ceux qui terminent et qui vont à l'université, mais c'est plus un pique-nique informel le jour de la remise des diplômes dans le jardin de l'école, avec les parents et toute la famille. J'y suis allée avec Michel il y a deux ans, il n'y avait vraiment pas de quoi en faire tout un plat. En revanche, le bal ici n'a vraiment rien à voir, selon Min Thu. C'est *la* soirée importante de l'année, celle où « tout peut arriver ».

— *Tout*, comme quoi ? lui ai-je demandé suspicieusement le jour où elle m'en a parlé, des étoiles plein les yeux.

Manifestement, elle ne le savait pas plus que moi. Elle a eu un geste d'impatience, un geste que je commençais à bien connaître maintenant, qu'elle faisait quand elle refusait de se prendre la tête pour un problème ou quand elle renonçait à un garçon qui ne s'intéressait pas assez à elle. Elle a rejeté ses cheveux en arrière et m'a fixée comme si j'étais la dernière des imbéciles.

— Tu sais, enfin… tout.

— Bon, d'accord… J'imagine que j'ai intérêt à ne pas présenter les choses comme ça à ma mère, sinon elle ne me laissera jamais y aller.

— Attends, Yulia, il n'est pas question que tu ne viennes pas ! C'est presque obligatoire ! Tout le monde va au bal… Qu'est-ce que tu penses, c'est l'unique raison pour laquelle les gens réussissent à passer à travers leur secondaire ! Je n'arrive pas à croire que tu n'aies *jamais* entendu parler du bal, dans ton trou perdu…

— Je croyais que c'était un truc pour l'université, me suis-je défendue mollement. O.K., on verra.

Elle ne m'avait pas convaincue, je ne disais ça que pour la faire taire…

— Et c'est quand, ce bal ?

— Fin juin. Après les examens.

— Ah. On a le temps d'y penser, alors.

— Le *temps* ? Mais tu es folle, Yulia ? On est déjà à la fin février ! Je connais des filles qui se préparent depuis l'an dernier ! Elles ont acheté leur robe et tout ça. Et moi je suis là à t'expliquer ce que c'est !

— Et toi, tu l'as achetée, ta robe ?

Puisque la robe du bal de finissants avait l'air aussi essentielle et problématique à trouver que la robe d'une mariée, il fallait bien que je fasse semblant de m'y intéresser.

— Non. Et c'est tant mieux : on pourra aller magasiner ensemble !

Quelquefois cet hiver, je me suis vraiment demandé pourquoi Min Thu m'a élue comme amie. Ce n'est évidemment pas pour ma bosse des maths, étant donné le nombre de minutes négligeable qu'on y consacrait quand on était ensemble. Peut-être que c'est parce qu'elle aime bien la pagaille continuelle qui règne chez moi, elle qui est enfant unique. Sinon, je ne sais pas. Elle a beaucoup d'autres amis, mais c'est ma compagnie qu'elle préfère. L'attrait de la nouveauté, peut-être ? Difficile à dire. Min Thu n'est pas le genre de fille à se confier. Elle peut s'étendre pendant une heure sur les cheveux d'un garçon ou sur la nouvelle jupe qu'elle s'est achetée, mais jamais un mot sur sa famille ou sur ce qu'elle a ressenti quand son dernier copain l'a lâchement quittée par téléphone. Elle hausse les épaules et change de sujet.

C'est vrai que moi aussi je suis un peu comme ça. Je veux dire, je n'aime pas parler de « choses importantes ». C'est bien assez compliqué d'y réfléchir et d'essayer d'effacer toutes ces questions inutiles de mon cerveau. Alors, écouter le babillage de Min Thu est souvent reposant. Dans ces moments où nous nous enfermions dans ma chambre et où je prétendais lui donner des cours de maths, j'oubliais un peu ma tristesse et les « choses importantes » pour moi devenaient la couleur de vernis dont j'allais peindre mes orteils ou les souliers que j'allais porter au bal – talons hauts ou pas ? En tout cas, heureusement que Min Thu est apparue dans ma vie. Jusqu'à maintenant, je ne le savais pas, mais je ne me lie pas tellement facilement aux autres. (Comment aurais-je pu le savoir ? Les seuls amis que j'ai en Israël, je les connais depuis tellement longtemps que je ne me souviens même plus comment ils sont devenus mes amis, ni même pourquoi certains le sont encore.) Dans ma nouvelle école, l'école secondaire Cœur-Vaillant devrais-je dire, les gens passent devant moi et à travers moi comme si j'étais un fantôme. Les deux ou trois premiers mois, du moins. Surtout quand je suis partie de la classe d'adaptation. À mon arrivée, les élèves de la classe d'adaptation étaient tous supergentils et intéressés, ils me posaient des questions et écoutaient mes réponses, ils venaient s'asseoir à côté de moi à la cafétéria… Mais dès que j'ai changé de groupe, pouf ! Ils ont disparu. Ils ont dû croire que je les snoberais, ou je ne sais trop quoi. Et je me suis retrouvée à manger toute seule à midi, sauf – honte suprême – lorsque Valia, ma petite sœur de quatorze ans à peine, me prenait en pitié et se joignait à moi, ignorant dans son extraordinaire magnanimité les protestations de ses innombrables nouvelles amies.

C'est un peu moins grave depuis quelque temps, mais seulement grâce à Min Thu. Et grâce à Raphaël aussi, bien sûr. Mais Raphaël, c'est une autre histoire. Une tout autre histoire. Lui, je n'ai pas eu besoin de l'approcher pour qu'on devienne amis. En fait, c'est lui qui est venu « m'accueillir ». L'école Cœur-Vaillant a une espèce de programme spécial pour les « nouveaux arrivants », comme ils disent, ceux qui arrivent en plein milieu de l'année et qui sont tout perdus comme moi. C'est un système de parrain et de marraine, des élèves se portent volontaires pour nous aider à nous intégrer à notre nouvel environnement. Ce sont les mots exacts qu'a employés la directrice quand elle nous a reçues, Valia et moi, le premier jour d'école après les vacances de Noël. Elle parlait très lentement en articulant exagérément, et Valia devait se retenir pour ne pas pouffer de rire sous son nez. Mon parrain et la marraine de ma sœur se tenaient derrière la directrice et nous souriaient chaleureusement en attendant qu'elle finisse son discours. Valia avait cessé de l'écouter depuis longtemps et ne tentait même pas de le cacher. Moi je faisais un petit effort, surtout parce que j'étais terrifiée à l'idée de devoir ouvrir la bouche et de prononcer une phrase en français. J'avais pris quelques cours en Israël, et en plus je m'étais entraînée avec Michel. Sa famille vient de France, donc il parle couramment la langue. Avec Michel, c'était tellement facile et pas du tout intimidant : il répétait tout le temps que mon accent était adorable. Je me doutais que ce ne serait pas le cas avec tout le monde. Mais je devais me forcer un peu, et être aussi téméraire que ma sœur. Alors, quand Raphaël s'est avancé vers moi et m'a tendu la main en disant très fort et distinctement :

— Enchanté, Yulia. Bienvenue !

J'ai répondu du mieux que j'ai pu :

— Merci, Raphaël. Je suis contente de te connaître.

Valia et sa marraine étaient déjà en train de bavarder comme deux vieilles copines quand mon parrain et moi sommes sortis du bureau de la directrice. J'ai suivi Raphaël dans les couloirs de l'école. Il était censé me mener jusqu'à ma classe. Lui non plus n'était pas un bavard, à première vue. Ma première impression de lui n'a pas été négative, mais pas non plus positive. Plutôt indifférente, même si cela n'aurait pas été très gentil de l'avouer. Je pensais encore à mes amis, j'avais trop de soucis en tête pour l'observer convenablement. Et puis, ce n'est pas comme s'il s'était spontanément dirigé vers moi. Après tout, il était *obligé* de me tenir compagnie, c'est un truc qui fait partie du « processus d'intégration ». Donc… pendant qu'il marchait devant moi et se retournait de temps en temps pour vérifier que je le suivais bien – alors que moi je me demandais : « mais quel genre d'illuminé se porte volontaire pour ce genre de corvée ? » –, je l'ai regardé vite fait, comme on regarde quelqu'un qui n'en vaut pas vraiment la peine. Maintenant, je sais bien qu'il en vaut la peine, mais à ce moment-là, non. Il est assez grand, il me dépasse peut-être d'une tête, mais en même temps il est très mince, presque rachitique, ce qui lui donne une allure de petit garçon. Et il porte des lunettes, des lunettes carrées qui glissent fréquemment sur son long nez. Parce qu'il a un long nez, et peu après je me suis rendu compte à quel point ça le complexait. Aux coups d'œil furtifs qu'il jette parfois à son reflet dans le miroir, ou à sa façon d'en toucher le bout comme pour essayer de le rapetisser… ce sont des signes qui ne trompent pas. Bref, pas antipathique. L'intello gentil et un peu coincé que tout le monde aime bien. Le problème, c'est que Raphaël fait partie du club d'échecs. Enfin, ce n'est pas un problème en soi, et surtout plus maintenant, mais c'en était un au début parce qu'il devait s'entraîner les midis. *Tous* les midis. Il me l'a annoncé le premier jour, quand il m'a montré le chemin vers mon casier. Pour lui, pas question de manquer plus d'une séance à cause de moi, ce n'était pas difficile à deviner.

— J'espère que ça ne te dérange pas trop ? m'a-t-il demandé le premier jour, avec cet air de s'excuser qu'il arbore en permanence, comme je m'en suis aperçue bien plus tard.

— Mais, non. Non, je…

J'ai fait un geste de la main pour lui souligner que ça m'était bien égal. Je ne savais pas encore comment dire « ne t'en fais pas pour moi » en français.

— Parce que, tu sais, a-t-il continué d'une voix tremblante, je pourrais manquer aujourd'hui. C'est important que je te montre comment utiliser la cafétéria et tout ça. Ce n'est pas tellement grave, si je manque juste une fois.

Ses yeux me disaient pourtant le contraire.

— Non, non, ai-je répété (son visage contrit me donnait envie de rire). Écoute, arrête. Je vais être très bien. Ça va !

J'ai souri pour donner plus de poids à mes propos.

— O.K., a fini par souffler Raphaël en poussant un petit soupir de soulagement. On a un gros tournoi bientôt, dans trois semaines. Je ne suis pas prêt, tu comprends ?

J'ai hoché la tête. Oui, je comprenais. Et je ne voulais surtout pas qu'il se croie forcé de me tenir compagnie. Je n'allais quand même pas faire exprès de le rendre malheureux ! Mon premier jour à l'école Cœur-Vaillant aurait pu être un véritable calvaire, sans la présence de Raphaël. Il m'a fait visiter toute l'école, du gymnase au sous-sol en passant par tous les étages, et m'a traînée dans les couloirs pendant les pauses pour me montrer les toilettes et autres choses pratiques que j'aurais pu repérer seule. Il prenait son rôle très à cœur.

— Pourquoi tu as accepté d'être mon parrain, si tu avais tellement plus de choses importantes à faire ?

Ça, c'est une question que je lui ai posée bien après, quand on s'est mieux connus. Il m'a appris à jouer aux échecs, quand le tournoi a été terminé et qu'il a eu un peu plus de temps à me consacrer. Sauf pour ce qui est du midi, il ne m'a jamais laissée tomber. Le matin, il venait toujours me voir à mon casier ou à la porte de mon cours pour vérifier que tout allait bien. Et le soir, souvent, il m'attendait pour me raccompagner. Il n'habite pas très loin de chez moi. Quand j'ai changé de groupe, je me suis retrouvée avec lui aux cours de chimie et de physique. Il est tout de suite venu s'asseoir à côté de moi et m'a proposé d'être leur partenaire de laboratoire, à lui et à son ami Thomas. C'est comme ça que, tranquillement, Raphaël a cessé d'être mon parrain pour devenir mon ami. Min Thu le trouve un peu bête, elle me le dit chaque fois qu'elle en a l'occasion. Et Raphaël trouve Min Thu un peu superficielle, sauf qu'il ne me le dit pas. Je le devine, c'est tout. On était donc assis sur les tabourets du laboratoire, on venait de finir notre expérience et Thomas était allé porter le résultat à M. Gravel, notre professeur de chimie. On était les premiers à avoir terminé. Normal, on allait plus vite à trois. Et je lui ai posé cette question, qui me trottait dans la tête depuis un certain temps. Raphaël a relevé la tête pour mieux me regarder et a réfléchi.

— Mmm... Je ne sais pas. Je suis parrain depuis la troisième secondaire. Mais je ne l'ai été que deux fois, avant toi. Et je me suis dit que j'avais envie de l'être une dernière fois avant de partir d'ici.

— Ah, bon. C'est bizarre, parce que moi jamais je n'aurais l'idée de faire ça. Je me demandais pourquoi toi tu avais voulu ?

— Eh bien, aussi... les deux personnes dont j'ai été le parrain, on ne s'est pas très bien entendus. Je veux dire, ça n'a servi à rien que je fasse ça pour eux, ils ne m'aimaient pas... Et je me sentais inutile.

Comme j'avais envie d'être utile, j'ai décidé d'essayer encore une fois.

— Mais comment ça marche? Ils t'appellent et te demandent, et tu dis oui ou non?

— Pas exactement. La directrice convoque tous ceux qui ont donné leur nom au début de l'année, et qui sont du même niveau que la personne qui arrive. Puis elle nous donne une petite description. Alors je savais déjà que tu t'appelais Yulia Chtcharanski, que tu venais d'Israël, que tu avais une sœur, Valia, en troisième secondaire... Je me suis proposé, et voilà.

— Je vois.

Thomas revenait. Nous nous sommes souri comme ça, sans raison, un sourire complice. Comme si on partageait quelque chose.

CHAPITRE TROIS

★ Min Thu me regarde et attend impatiemment ma réaction. Réaction pas tellement flamboyante, dois-je dire.

— La robe... parfaite, répété-je après elle comme un perroquet dysfonctionnel. Écoute, ça ne peut pas attendre, je ne sais pas... en fin de semaine? Il faut que j'aille garder mes petits frères et sœurs.

En fait, ce n'est pas vrai. C'est au tour de Valia aujourd'hui. Maman va nager à la piscine avec tante Zena comme chaque jeudi, et Valia m'a promis de rentrer directement après l'école parce que ça fait trois fois qu'elle passe son tour et que j'en ai marre de la couvrir, et que moi j'aimerais bien avoir une soirée libre dans la semaine pour faire autre chose que raconter des histoires et essayer de convaincre Roni de manger une bouchée. Même si autre chose signifie m'enfermer dans ma chambre (chambre que, soit dit en passant, je partage avec Valia) avec un livre ou téléphoner dix minutes à Valérie. Mais comme je sais aussi que Valia va sans aucun doute arriver en retard et que maman va être furieuse et que tout retombera sur moi comme d'habitude, ce n'est pas vraiment un mensonge.

— Oh, allez, Yulia ! Tu dois toujours garder tes frères et sœurs ! Et je suis sûre que tu pourrais en trouver une toi aussi !

— Ça m'étonnerait. Ma mère s'est mis dans la tête qu'elle allait me la coudre, ma robe. Et puis je n'ai même pas d'argent.

Min Thu me fixe un instant avec horreur. J'imagine que la vision de moi débarquant au bal avec des haillons assemblés par ma mère lui est insoutenable. Et soudain ses yeux se mettent à briller comme des lampions. Oh non ! Elle a une idée, une idée qui ne me plaira pas, je le sens.

— Je sais ! On n'a qu'à les amener avec nous ! Comme ça ils pourront nous donner leur avis, en plus !

— Tu es folle, ou quoi ? Non, écoute, je ne peux vraiment pas. J'ai promis à ma mère, et... On se voit demain, d'accord ?

Et je la plante là. Ce n'est pas très gentil, mais elle va me retenir pendant une demi-heure si je ne bouge pas tout de suite.

Évidemment, quand j'arrive, Valia n'est toujours pas rentrée et maman m'attend de pied ferme sur le balcon avec un visage impatient qui n'annonce rien de bon. Tante Zena est là aussi, et j'entends son fils Benjamin par la porte ouverte, qui se dispute avec Meir.

— Yulia ! s'écrie ma mère dès qu'elle m'aperçoit. Qu'est-ce que tu faisais ? Tu es en retard…

À croire qu'elle chronomètre le temps que me prend le parcours entre l'école et la maison – dix minutes, montre en main.

— Et ta sœur ? Où est-elle passée ? continue maman sans me laisser le temps de répondre ni même de bouger.

— Mais je ne sais pas, moi !

— Comment ça, tu ne sais pas ? Vous n'êtes pas parties ensemble ?

Maman insiste pour que Valia et moi fassions ensemble matin et soir le chemin qui nous sépare de l'école. Ce qui exaspère Valia. Depuis le temps qu'elle me fait faux bond, j'ai pris l'habitude de ne pas l'attendre après l'école. D'autant plus que je finis toujours mes cours un peu avant elle. Je soupire et je me prépare à inventer je-ne-sais quel mensonge destiné à sauver la peau de ma sœur, quand tante Zena (bénie soit-elle) intervient :

— Oh, laisse ta pauvre fille un peu tranquille, Dusha, dit-elle en me faisant un clin d'œil. On ferait mieux de se dépêcher, avant que le bain libre ne finisse.

— Oui, tu as raison, marmonne maman en me lançant un regard hésitant. Yulia, tu voudrais bien commencer à préparer le souper, si je ne suis pas rentrée à six heures?

— Bien sûr, maman.

Je souris et je leur envoie la main pendant qu'elles descendent les marches, leur sac de piscine sur l'épaule. Elles jacassent comme deux petites filles. Je trouve maman jolie, à la regarder comme ça sans enfant accroché à ses jupes, et comparée à tante Zena. Ce n'est pas que tante Zena soit laide, mais… elle fait beaucoup d'effort et ça se voit. Elle est très grande et très mince, et elle s'habille comme si elle avait encore vingt ans. Le problème, c'est qu'elle n'a plus vingt ans, malheureusement. Maman s'habille n'importe comment. Elle est tout le contraire de tante Zena: petite et ronde, un visage rond et de grands yeux ronds comme deux boules de billard. Elle ne se coiffe jamais et laisse ses cheveux libres sur ses épaules, ils sont noirs et frisés. En plus du mardi, le jeudi est la seule soirée de liberté de maman. Ce qui signifie une soirée d'esclavage pour moi, mais ça ne me dérange pas. Pas trop. J'entre dans la maison et je suis aussitôt assaillie par une meute de loups affamés. Bon, ce n'est que Roni et Assia, mais ils prennent autant de place que dix personnes.

— J'ai faim, Yulia!

— Maman est partie! Où est maman, Yulia?

— Taisez-vous ! Laissez-moi passer, crié-je pour me faire entendre.

Ils s'écartent respectueusement pour me faire une place dans l'entrée encombrée de débris. Quand je dis débris, j'exagère à peine. Le problème dans cette famille, c'est que dès que maman se met au ménage, il se trouve aussitôt quelqu'un pour ruiner ses efforts. Je pousse le plus gros sur les côtés et écrase au passage la tête d'une des poupées Barbie d'Assia. Elle hurle de rage.

— Vassilissa ! Elle est morte ! Tu l'as tuée !

Je ramasse Vassilissa et je regonfle sa tête.

— Tu n'avais qu'à ne pas la laisser traîner n'importe où. Tiens ! Je l'ai ressuscitée.

Je me dépêche de monter avant qu'ils ne m'assaillent à nouveau. Finalement j'atteins ma chambre et je laisse tomber mon sac sur le tapis. Il pèse une tonne. Mon lit semble m'appeler à grands cris, mais au prix d'un suprême effort, je réussis à l'ignorer. Je me demande comment je trouverai le temps de faire mon devoir de maths, et ma partie de rapport de laboratoire de chimie qui est à remettre pour demain. « Une chose à la fois, Yulia », me répété-je dans ma tête, comme une prière à moi-même. Je sors de ma chambre, et Roni et Assia sont plantés sur le seuil ; ils m'attendent avec une lueur d'avidité au fond de leur regard.

— Bon ! Venez avec moi, je vais vous préparer un petit quelque chose à manger.

Je redescends, les deux petits sur les talons. La cuisine est dans un état de saleté indescriptible. Je ne trouve pas le courage de la ranger, probablement le même sentiment qu'a eu maman quelques minutes avant moi. Gavi est assise dans sa chaise haute et elle me sourit tranquillement. Maman a oublié de finir de lui donner à manger et elle a le visage barbouillé de compote de pommes. Mais elle continue à sourire comme si de rien n'était. Tout à coup, je suis envahie par une lassitude énorme, comme si un camion de béton se vidait sur mon dos. Je commence à regretter de ne pas être allée magasiner avec Min Thu, même si je l'aurais sans doute trouvée insupportable au bout de trente secondes. Assia et Roni se remettent à se chamailler, et Gavi se met de la partie. Elle envoie valser sa cuillère à l'autre bout de la pièce et se met à rire. Elle doit trouver qu'il s'agit de la blague la plus drôle du monde. Les garçons sont sûrement dans leur chambre avec Ben, je les entends d'ici, ils ne devraient pas tarder à rappliquer pour réclamer à manger eux aussi. Et Nathan n'est pas encore rentré de l'école, le jeudi il finit souvent plus tard, ou alors il s'est arrêté chez un ami en chemin. Quand il s'agit de Nathan, les retards ne dérangent pas maman et elle ne pose aucune question. Nathan fait toujours tout ce qu'il veut et ça le rend complètement imbuvable. Je regarde dans les placards et le réfrigérateur, je trouve quelques bouts de pain et je prépare une dizaine de tartines à la confiture. Ça devrait suffire pendant une heure ou deux. Je m'assois près de Gavi et j'entreprends de la nettoyer, pendant que Roni bombarde Assia de confiture. *Mon Dieu. Venez à mon aide.* C'est ce que maman dit tout le temps. Je ne veux pas avoir l'air d'une folle, alors je ne fais que le penser.

— Roni ! La confiture, c'est fait pour être mangé, pas pour être lancé !

— Bla-bla-bla, je t'écoute même pas !

— Roni ! Arrête tout de suite, tu m'entends ?

Je crie peut-être un peu fort, je me lève trop brusquement et ça ne plaît pas à Gavi, qui se met à pleurnicher. Du coup, Roni en profite pour verser des larmes de crocodile. Il n'est pas tellement doué à ce jeu, je dois dire. Je prends Gavi dans mes bras et je lui chuchote des choses douces à l'oreille, tout en arrachant le pot de confiture des mains de Roni. Il me donne un coup de pied dans le tibia, le monstre. Je l'ignore et je marche avec Gavi à travers la cuisine, pour la faire sourire à nouveau. Je fais un « nez-à-nez » avec elle, ça marche toujours. Le nez-à-nez, c'est un truc que j'ai inventé à la naissance de Sacha. Les premiers mois il pleurait tout le temps, et personne ne savait pourquoi, pas même le médecin. On croyait qu'on deviendrait fous, à force. Une fois, il s'est mis à pleurer pendant la nuit et je suis allée dans sa chambre avant que maman se lève. Il était tout petit, il avait à peine cinq mois, il gigotait dans son lit à barreaux, des larmes coulaient de ses petits yeux. Je me suis penchée vers son visage et j'ai collé mon nez au sien. Je l'ai frotté tout doucement. Il a cessé de bouger dans tous les sens et m'a regardée avec des yeux ronds, j'ai continué à frotter son nez en agrandissant mes yeux aussi. Nous sommes restés ainsi peut-être trente secondes,

Sacha et moi, il était comme hypnotisé par mon regard. Il ne pleurait plus. Ce n'était pas efficace à cent pour cent, mais parfois il y succombait. Gavi est plus facile, elle. Aujourd'hui elle rit tout de suite. Maintenant, c'est moi qui suis couverte de compote de pommes. Je dépose Gavi par terre et elle essaie de courir derrière Assia, mais Assia ne la supporte pas. Chaque fois que Gavi s'approche d'elle, elle la repousse et va se plaindre à maman. J'imagine que c'est parce qu'elle avait pris l'habitude d'être la plus petite, et que maintenant quelqu'un l'a détrônée. Pauvre Gavi! Et pauvre Assia, quand j'y pense. Elle se sent délaissée par maman.

Notre maison à Montréal est minuscule, plus petite encore que celle qu'on possédait là-bas, à Tel-Aviv. Je partage ma chambre avec Valia, mais c'est comme ça depuis toujours, alors je ne suis pas trop à plaindre. Pour les garçons, c'est une autre histoire. Nathan est obligé de dormir avec Sacha et Meir, et il l'a vraiment mal pris, quand il l'a su. Nathan se croit beaucoup plus vieux que ces deux-là, alors qu'il n'a que onze ans. Le problème, c'est que chez nous, tout le monde va un peu par paire. Il y a moi et Valia, d'abord, même si on ne se ressemble en rien, qu'elle ne s'intéresse pas à ce qui m'intéresse et vice-versa. Et puis Sacha et Meir, qui ont respectivement huit et sept ans et qui font tous leurs mauvais coups ensemble. C'est presque impossible de les séparer tellement ils s'entendent bien. Ensuite, eh bien, c'est Roni et Assia, même s'ils se disputent perpé-tuellement. Roni adore agacer Assia et Assia adore rapporter à maman que Roni l'agace. Évidemment, Gavriella vient dans une classe à part, c'est la plus jeune et tout le monde s'occupe d'elle, en plus, elle ne sait même pas encore parler.

Le seul qui n'ait pas exactement de « partenaire assigné » dans notre famille, si je peux le dire comme ça, c'est Nathan. Bon, Nathan est quand même le préféré de maman, ceci expliquant sans doute cela. N'empêche qu'il est toujours à part, toujours un peu solitaire. À Tel-Aviv, il avait sa chambre à lui tout seul et y passait le plus clair de son temps. À présent, c'est chez ses nouveaux amis qu'il le passe. Je ne sais pas comment prendre Nathan. Il ne m'écoute pas souvent, ce que je lui dis semble couler sur lui comme sur le dos d'un canard. Je ne crois pas qu'il m'aime, ni qu'il aime qui que ce soit dans cette maison. Il est très beau – il a toujours été très beau – et il fait la fierté de maman. Il ne parle pas beaucoup, il arbore un petit sourire de star en permanence et a toujours été le plus populaire de sa classe. Je me rappelle, l'année dernière il avait au moins quatre ou cinq « petites copines ». Cette année, sans doute autant. En attendant, il est presque cinq heures et Nathan n'est toujours pas arrivé. Je commence vaguement à m'inquiéter. D'ordinaire, il passe au moins à la maison déposer son sac d'école avant de ressortir.

Je me mets à nettoyer la cuisine machinalement, des pensées éparses et sans liens continuent à tournoyer dans ma tête. Il y a longtemps que je n'ai pas téléphoné à Valérie. Et que je n'ai pas parlé à Michel. Cet hiver, j'appelais en Israël au moins une fois tous les deux jours, et papa a dû m'imposer le quota d'un appel par semaine, une heure maximum. Maintenant, j'ai de moins en moins le temps. Ou plutôt, j'ai toujours des choses plus urgentes à faire. Valérie me l'a reproché, au début. En fait, elle l'avait prédit que ça tournerait ainsi.

— Tu vas te faire plein d'amis américains. Et puis tu vas nous oublier.

— Non. Je ne vous oublierai certainement pas. Jamais.

— Mon œil, oui. Combien je parie que tu ne parleras même plus hébreu, quand tu reviendras l'an prochain ? Si tu reviens...

Valérie peut bien faire les commentaires qu'elle veut, je suis certaine que je parle tout aussi bien hébreu qu'avant, même si je n'ai plus l'occasion de m'exercer. Maman ne nous a toujours parlé qu'en russe à la maison. Quand elles sont arrivées en Israël, Baba s'est empressée d'inscrire sa fille à l'école russe, si bien que maman n'a jamais appris l'hébreu correctement. Elle dit qu'elle a fait un blocage, que l'hébreu n'a jamais pu s'enregistrer correctement dans son cerveau. Elle arrivait à se débrouiller quand il le fallait vraiment – c'est-à-dire pas très souvent – mais elle préférait de loin se servir du russe. L'hébreu, c'était pour l'école et les trucs officiels, bref des éléments sans importance, et il fallait l'apprendre simplement pour être laissé en paix. Mais c'est fou comme on oublie vite. Des choses qu'on croyait bien enracinées, qu'on croyait faire partie intégrante de son être, s'envolent en fumée en quelques jours, en quelques mois. La brûlure que j'éprouvais en pensant à Michel, à Michel loin de moi et croupissant dans un camp militaire atroce, elle est moins vive à présent. Parfois, je ne pense pas à lui pendant toute une journée, et je me sens coupable quand ça arrive. Et parfois, quand je pense à un mot, je le dis en russe d'abord, puis je le traduis en français, mais il ne me vient plus automatiquement en hébreu. Je dois creuser, creuser tout au fond de ma mémoire, et quelquefois je ne le retrouve pas. C'est un sentiment étrange et effrayant. Comme si en oubliant cette langue je changeais moi aussi, lentement et imperceptiblement, mais quand même assez pour m'en rendre compte.

La cuisine approximativement rangée, je vais chercher mes exercices de maths pour aller les faire dehors, dans la cour arrière. Comme c'est un des premiers jours de beau temps depuis qu'on est arrivés, personne ne l'a vraiment aménagée. Les mauvaises herbes ont commencé à y pousser sauvagement. La neige est partie il y a quelques semaines, déjà, l'herbe a eu le temps de verdir et de s'étendre un peu partout. La cour est toute petite, on a à peine la place d'y construire un bonhomme de neige de taille honorable, mais maman a prévu de faire un jardin, au fond, de planter des fleurs et peut-être des légumes. Je la connais, elle ne s'en occupera pas. Mais j'aime mieux un jardin laissé à l'abandon. Un jardin libre, où pousse n'importe quoi, du bon comme du mauvais. Maman n'a pas tellement le pouce vert, et c'est tant mieux, je pense. Je me demande quelles fleurs poussent ici, si ce sont les mêmes qu'en Israël. Assia vient me rejoindre, elle doit s'être lassée de se faire taquiner par Roni et talonner par Gavi. Elle s'assoit sur mes genoux et se blottit contre moi, sans un regard pour les papiers qu'elle vient de froisser sous son poids. À la manière d'un petit chat. « Comment ça va, mon petit chat », je lui chuchote en russe, parce que j'aime bien chuchoter en russe, et chanter aussi de vieilles berceuses que maman a apprises de sa grand-mère. Elle hoche la tête pour toute réponse et se glisse le pouce dans la bouche. Maman et papa essaient de lui faire perdre cette habitude, ils disent que ça lui fera des dents en avant, mais moi je fais comme si je ne la voyais pas. Ce n'est pas si grave. Je la serre très fort dans mes bras, parce que je sens bien qu'elle en a besoin ces derniers temps. Je ne devrais pas dire ça, ni même le penser, mais Assia est un peu ma préférée. C'est une peste, littéralement, et souvent elle n'est pas gentille, mais il y a quelque chose en elle, un désir irrépressible d'être aimée sans doute, qui me touche presque malgré moi. On reste là sans parler, sans bouger, puis je la berce un peu et elle ferme les yeux. Je me dis que je devrais peut-être commencer à préparer le souper, ou me mettre à la recherche de Gavi et des garçons, bref m'atteler à une activité un peu plus productive, mais je ne peux me résoudre à me lever. Assia est lourde et chaude contre moi, je ne sais pas si elle dort, si elle pense ou si elle veut simplement rester ici avec moi. Soudain, le claquement d'une porte au loin me fait sursauter. Je me lève et les feuilles que j'avais sur les genoux tombent éparpillées sur le sol. Assia s'accroche à moi, les yeux hermétiquement fermés, cette fois comme un petit singe. Je tente d'ouvrir la porte et de ramasser les feuilles en même temps, tout en m'efforçant de ne pas la laisser tomber elle aussi. Je rentre dans la maison et je trouve Valia dans la cuisine. Valia, avec sa jupe trop courte – elle va encore se faire réprimander par maman, mais à l'évidence elle n'en a rien à cirer –, ses joues trop roses, ses jambes trop longues et ses cheveux trop blonds et brillants, hérités d'une obscure ancêtre de Russie. Elle est presque trop belle. Le malheur, c'est qu'elle le sait bien. Elle me regarde en souriant, de son éternel sourire gai et insouciant que rien ne vient jamais altérer.

— Salut, dit-elle en français en rejetant ses cheveux en arrière, comme si j'étais un de ces garçons du quartier qu'elle veut impressionner.

Sauf que moi je ne me laisse pas impressionner. Je dépose Assia par terre et je défais doucement le collier de ses bras autour de mon cou, pour qu'elle ne se mette pas à protester.

— Tu étais où, après l'école ?

— Qu'est-ce que tu veux dire ?

— Je veux dire que c'était ton tour de garder les petits. Et que tu n'étais pas là, donc c'est moi qui ai dû le faire à ta place.

— Oh, calme-toi un peu, Yulia !

Elle prononce mon nom bizarrement, avec un genre d'accent de mépris mêlé de commisération. Je n'ai pas envie de me disputer avec elle. Elle aura le dernier mot, comme d'habitude. Ces derniers temps, j'ai un peu peur de lui parler, elle se comporte avec moi comme une étrangère, comme si elle avait grandi et changé, mais que moi j'étais restée l'éternelle Yulia, l'éternelle ennuyeuse et infantile Yulia. Ça ne sert à rien de crier, de m'énerver contre Valia. Elle retourne n'importe quelle critique à son avantage. Mais je ne peux pas lui en vouloir. Jamais très longtemps. Elle me regarde en ouvrant de grands yeux faussement innocents, secoue la tête pour détourner mon attention. Ses cheveux accrochent chaque rayon de soleil qui traverse la pièce.

— J'étais avec Fred, si tu veux savoir, daigne-t-elle m'informer avec un petit rire ironique, comme si je savais qui était Fred et comme si je m'en préoccupais.

Elle dit « Fred » en roulant le *r* d'une manière toute particulière, j'imagine qu'elle trouve ça sexy. Je me fais violence pour ne pas l'interroger au sujet de ce Fred, parce que je sais qu'elle n'attend que ça. Je sais aussi qu'elle craquera la première.

— Eh ben, tu ne me demandes pas qui c'est ?

— Je n'ai pas le temps, je dois m'occuper du souper. Pousse-toi. Tu es dans mon chemin.

— Allez, Yulia, arrête de faire semblant d'être fâchée ! Je veux te raconter avant que maman arrive…

— O.K. Mais aide-moi, alors.

Je lui donne de la laitue à laver et elle me raconte son idylle merveilleusement romantique avec Fred, un gars de cinquième secondaire que je suis censée connaître et qui est incroyablement beau, séduisant et magnifique.

— Mais oui, tu le connais! C'est le grand, là, il est dans ton cours d'anglais.

— Ah bon. Ça ne me dit rien.

— En tout cas, lui, il m'a dit qu'il savait qui tu étais.

— Super. Prépare une vinaigrette, pendant que tu y es.

— Yulia! Tu ne m'écoutes même pas, s'indigne Valia en me voyant lui tourner le dos pour mettre de l'eau dans une casserole.

Valia adore qu'on l'écoute. C'est sans doute l'activité qu'elle préfère au monde, qu'on l'écoute. Elle se fiche complètement de couper la parole aux autres, l'important étant que les yeux du commun des mortels soient rivés au mouvement de ses lèvres divines. Ça me fait tout bizarre de penser qu'à un moment de notre vie, ma sœur et moi étions inséparables. Un an environ avant le déménagement, quand il s'agissait encore d'un rêve inaccessible de mes parents désillusionnés. Alors, elle n'entreprenait jamais rien sans moi, et moi je ne pouvais pas m'imaginer aller quelque part sans l'emmener avec moi. On était des jumelles, toutes les deux. Je connais des filles qui ne peuvent supporter la présence de leur petite sœur dans leur sillage, mais c'est une chose qui ne me dérange pas particulière-ment. Sans doute à cause de la multitude de frères et sœurs qui nous suivent, je n'ai jamais vraiment pris Valia pour ma « petite » sœur. Maintenant, je ne sais pas. Tout a changé. Elle a changé, surtout. Elle a toujours été plus « fille » que moi, plus déli-cate, une grâce que moi je n'aurai jamais. Depuis que nous sommes ici, elle en joue, elle en surjoue, même avec maman, papa, même avec moi, elle croit que tout le monde va succomber à ses charmes. Je l'aime bien, pourtant. Là n'est pas la question. Baba dirait que je suis jalouse, et elle aurait sans doute raison. De toute façon, Valia est si belle que c'est difficile de lui en vouloir pour ces défauts de cigale. Alors, je réponds tranquillement, ma colère presque tombée :

— Oui, oui, je t'écoute.

— Alors, qu'est-ce que tu penses de lui ?

— De lui, qui ?

— Mais de Fred, enfin !

Oups ! Je me suis trahie.

— Ah oui, c'est vrai. Je ne sais pas. Je vais demander à Min Thu si elle le connaît.

Valia porte une admiration sans bornes à Min Thu. Introduire son nom dans la conversation équi-vaut à un accord de cessez-le-feu.

— Oh, elle le connaît sûrement ! s'exclame ma sœur, ravie de la tournure que prend la conversa-tion. C'est genre un des gars les plus populaires de l'école. Te rends-tu compte qu'il a laissé sa copine juste pour moi ?

Valia adore truffer ses phrases d'expressions québécoises qu'elle vient tout juste d'apprendre. « Genre » a probablement été le premier mot français qu'elle a appris en arrivant ici.

— Comment ça, « il a laissé sa copine » ? Vous ne sortez pas ensemble, quand même ?

— C'est ce que je me tue à te dire depuis quinze minutes. C'était notre premier jour officiel aujourd'hui !

J'arrête subitement tout ce que je suis en train de faire, et je me retourne pour lui faire face.

— Ce n'est pas vrai. Je ne te crois pas.

— Bien sûr que c'est vrai, lance-t-elle avec un petit rire léger. Il m'a même demandé de l'accompagner au bal !

— C'est dans deux mois, le bal.

Connaissant ma sœur, cette « union » ne devrait pas durer plus de deux ou trois jours.

— Je sais ! Ça veut dire qu'il n'a pas peur de s'engager !

— Tu es complètement folle.

Valia secoue encore une fois la tête pour me montrer qu'elle n'accorde pas la moindre importance à ce que j'en pense. Ses cheveux lisses que j'ai toujours un peu enviés volent autour de son visage, elle est l'image même du bonheur insouciant et sans tache. Elle s'arrête brusquement et devient tout à coup sérieuse, me considère avec gravité. Elle est intelligente, ma sœur, en plus. Ses échecs scolaires répétés tiennent plus de la paresse et du besoin de scandaliser nos parents que de la véritable stupidité.

Elle se met en travers de mon chemin, exprès pour que je la regarde. Elle me demande :

— C'est quand la dernière fois que tu as parlé à Michel ?

— Euh, je ne sais pas. Il y a deux semaines, peut-être trois. Pourquoi ?

— Tu as l'intention de quoi, de l'attendre dix ans ? De lui rester fidèle à jamais, même si la vie vous sépare ? C'est toi la folle, ma vieille !

— On ne parle pas de Michel, là ! On parle de toi et de ce Fred. Et moi je te dis que ça m'inquiète, ce que tu me racontes à son sujet. Qui c'était, d'abord, la copine qu'il a laissée pour toi ?

— On croirait entendre maman ! Tu sais que tu lui ressembles de plus en plus ?

Elle rit à nouveau. Valia adore me taquiner à propos de mes manières de femme au foyer. Elle-même montre un suprême dédain pour tout ce qui concerne la maison, à commencer par les petits. Mais bon, elle n'a pas tout à fait tort. C'est vrai que je ressemble un peu à maman, physiquement en tout cas. Les mêmes cheveux foncés frisottés, les mêmes yeux ronds et le même nez en trompette. Rien de fin ni de gracieux. Et Valia me dépasse d'au moins cinq centimètres. Je m'apprête à répliquer, pour la forme, sachant très bien que c'est peine perdue, et c'est le moment que choisit le téléphone pour sonner. Valia se précipite pour répondre, persuadée que c'est pour elle – un autre de ses admirateurs déclarés ou une de ses amies surexcitée par la nouvelle ou encore Fred qui ne peut se passer d'elle plus de quinze minutes. J'entends une cavalcade dans les escaliers : Sacha, Meir et Ben font sans doute une course à qui répondra le premier. Je laisse mon bortsch mijoter sur le feu – j'espère que ce sera suffisant pour tout le monde et que personne ne trouvera à redire à mon manque d'imagination – et je vais les rejoindre dans le couloir. Meir et Ben sont en train de se battre et Sacha est étendu sur le sol. Valia leur tourne le dos et chuchote dans le combiné. Ce n'est pas facile de trouver de l'intimité chez nous, quand on parle au téléphone. Moi, quand c'est sérieux et que je ne veux pas qu'on surprenne ma conversation, je m'enferme dans le placard à manteaux près de l'entrée. Le fil du téléphone se rend bien jusque-là, à condition d'en défaire les nœuds. Les garçons ne font aucunement attention à ma présence. Parfois, la plupart du temps en fait, j'ai le sentiment de tenir une garderie.

— Sacha et Meir ! Arrêtez tout de suite !

Je n'ose pas crier après Ben, quoiqu'il se fige lui aussi en pleine action. Il s'apprêtait à mordre Sacha pour une raison qui m'échappe. Ben est mignon. Il a neuf ans et il ne parle pas russe, ce que déplore maman chaque fois qu'elle le voit. Et lui se contente de sourire d'un air honteux comme si c'était sa faute, alors que tante Zena a tout simplement été trop paresseuse pour l'envoyer à l'école du samedi. Donc, je pense qu'il mérite un peu d'indulgence en échange de la patience d'ange dont il fait preuve avec maman qui se montre assez fréquemment épouvantable.

— Salut Yulia, disent les garçons tous en même temps en se cachant les mains derrière le dos et en arborant une expression coupable, comme les petits monstres qu'ils sont.

Je les adore, tout simplement.

— Qu'est-ce que vous fabriquiez en haut, leur demandé-je en les entraînant vers la cuisine pour que Valia puisse glousser à son aise.

— Rien, répond précipitamment Meir en jetant autour de lui des regards angoissés, ce qui ne fait qu'accroître mes soupçons.

— Des trucs, dit Sacha qui croit sans doute que cette explication me suffira.

— On jouait aux jeux vidéo, souffle Ben qui ne peut souffrir le mensonge et le vice en général.

Maman interdit aux garçons de jouer aux jeux vidéo pendant la semaine. Mais, chose curieuse, ils possèdent quand même une Playstation dans leur chambre. Donc, dès que la méchante sorcière (comme l'appellent Meir et Sacha derrière son dos, dans l'espèce de langage fantastique et imaginaire qui les caractérise) met le nez dehors, ils s'en donnent à cœur joie.

— Tu ne le diras pas à maman, hein Yulia ? supplie Meir.

J'aime la façon dont il joint les mains, comme si j'étais le chef suprême. Meir est encore à l'âge où l'on ne fait pas de distinction entre la grande sœur et la maman. Il sait seulement que la grande sœur est souvent plus permissive que la maman, et c'est pour ça qu'il m'aime mieux. Je ne réponds pas. Je préfère prolonger le suspense, et qu'ils ne soient pas tout de suite assurés de leur facilité à me corrompre.

— Je ne lui dirai pas… si vous mettez la table.

Ils s'exécutent de bonne grâce. Nathan arrive sur ces entrefaites. Il n'a jamais été aussi en retard. Il surgit dans la cuisine sans regarder personne, soulève la casserole de légumes et grimace.

— Où est maman ?

Il n'a même pas levé les yeux vers moi, ni même vers Sacha et Meir qui l'adorent.

— Tu pourrais dire bonjour, non ?

— Bonjour. Où est maman ?

— À la piscine. Hé, où tu vas ?

Il a tourné les talons sans même attendre que je finisse ma phrase. Il monte s'enfermer dans sa chambre, je suppose. C'est peine perdue, avec lui.

— Yulia ? Téléphone pour toi !

Je suis en train d'aider Valia dans ses exercices de maths quand maman, revenue de sa soirée de piscine, m'appelle du rez-de-chaussée. En vérité, jamais Valia n'aurait osé me demander du secours si je ne le lui avais pas proposé. Elle est bien trop orgueilleuse. Je la voyais froncer les sourcils, avachie sur son lit, je l'entendais pousser des soupirs déchirants et j'ai eu pitié d'elle. Mais sérieusement, il faut vraiment être patient avec Valia quand on lui explique quelque chose. Elle est presque pire que Min Thu, parce qu'elle me fait porter le blâme quand elle ne comprend pas mes explications, donc quatre-vingt-quinze pour cent du temps.

— Je demanderais bien à Fred de m'aider, dit-elle avec insistance en me regardant par-dessous, tu sais qu'il a déjà fait cette matière-là depuis longtemps, mais on s'est déjà parlé au téléphone aujourd'hui et je ne veux pas avoir l'air trop collante, hein?

N'importe quoi. Je lui ordonne d'essayer de terminer le premier exercice toute seule et je vais répondre.

— Allô?

— Yulia?

C'est Raphaël. Raphaël me téléphone toujours la veille d'une remise de rapport de laboratoire. J'aime bien quand il fait ça. Ce n'est pas nécessaire, je veux dire que j'ai confiance en lui et il a confiance en moi, mais il aime bien tout remettre au propre et vérifier avec moi que nos réponses sont justes. Il relit chacune des parties et il me lance des fleurs, il n'arrête pas de répéter combien ils ont de la chance de m'avoir dans leur équipe, lui et Thomas. Je m'enferme dans le placard pour lui parler, même si je suis gênée par le manque de lumière et la poussière. Après avoir conclu que notre rapport est sans tache, nous ne raccrochons pas immédiatement. Il a envie de parler, visiblement, et moi je préfère ça plutôt que de retourner subir la mauvaise humeur de ma sœur.

— Tu sais que Thomas a demandé à une fille de l'accompagner au bal?

— Non! C'est qui?

L'histoire avec Thomas, c'est qu'il est encore plus timide que Raphaël, si c'est possible. C'est le type même du gars à lunettes qui ne peut pas adresser la parole à une fille sans rougir. Même avec moi il est incapable d'être naturel, et je ne suis pourtant pas une personne particulièrement intimidante. Il est extrêmement nerveux, et je crois qu'à part Raphaël, moi et ses coéquipiers de l'équipe des Génies en herbe, il n'a pas tellement d'amis.

— Eh bien, continue Raphaël en se retenant difficilement de rire, il a proposé à Vanessa... tu sais, Vanessa Beaudin...

— Mais oui, je la connais! Elle est dans mon cours de français... mon Dieu, ce n'est pas possible. Et qu'est-ce qu'elle a dit?

— Non, évidemment. Tu t'attendais à quoi?

On éclate tous les deux de rire. Thomas ne le saura pas et vraiment, c'est assez ridicule de l'imaginer comme cavalier de Vanessa. Elle fait partie du clan des « populaires » de l'école. Je ne sais plus quel imbécile a instauré un palmarès des plus belles filles de cinquième secondaire, mais Vanessa trône quelque part entre le deuxième et le cinquième rang, ce qui signifie qu'elle considère que l'école lui appartient, au même titre que toute la population mâle qui la fréquente. Je crois que le but ultime de son existence est d'éclipser ses rivales et de se retrouver un jour au sommet du palmarès, devant même Chiara Amante. Mais bon, c'est certain que ça n'arrivera pas. Chiara a une beauté universelle et délicate que Vanessa ne pourra jamais rêver de posséder, elle qui est plus du style bimbo m'as-tu-vu. Si au moins Thomas avait demandé à Chiara!

Il se serait vu essuyer un refus gentil doublé d'un sourire, ou peut-être encore aurait-elle accepté par pitié. Alors qu'avec Vanessa... il n'avait aucune, aucune chance.

— Pauvre Thomas, articulé-je sans cesser de rire. Il pensait à quoi?

— Je ne sais pas. Il m'en parlait depuis un bout de temps, j'aurais dû l'en dissuader. Je n'aurais jamais cru qu'il irait jusqu'à lui proposer concrètement. Le pire, c'est qu'elle en a profité pour l'humilier publiquement.

— Oh non... pauvre Thomas, répété-je, un peu plus sincèrement cette fois.

— Oui... Tout à l'heure après l'école, tu étais déjà partie, je crois. Quand on est sortis, il l'a vue, avec toutes ses amies *pitounes*. Et puis il a complètement perdu la tête, il répétait « si je ne le fais pas maintenant, je ne le ferai jamais », et « c'est l'occasion de ma vie », bref plein de trucs pas rapport... J'ai essayé de le retenir, mais rien à faire...

— Et alors?

— Alors, il lui a fait sa demande, bien officiellement, comme une demande en mariage. Il s'est presque mis à genoux, tu te rends compte!

— Tu es sûr qu'il n'était pas drogué? Ou qu'on ne lui a pas jeté un sort, peut-être?

— Je n'en sais rien. C'est possible. En tout cas, aucun moyen de le faire travailler sur sa partie du rapport ce soir. J'ai tout fait à sa place.

— Vraiment? Tu aurais dû m'appeler avant! On l'aurait fait ensemble...

En fait, j'aurais bien aimé qu'il m'appelle plus tôt. Je serais allée chez lui, peut-être, ou lui chez moi, quoique maman ne soit pas très favorable à la présence dans sa maison d'un garçon qui n'est ni un cousin ni un ami intime de la famille. On aurait travaillé et après on aurait fait une partie d'échecs. Je m'améliore chaque fois. J'ai presque réussi à le battre, la semaine dernière. Raphaël a prédit que l'élève dépassera bientôt le maître.

— Non, tu gardais tes frères et sœurs, je ne voulais pas te déranger. Je sais bien que tu es occupée, après l'école.

Je voudrais répondre « Mais la prochaine fois, appelle-moi ! La prochaine fois, dérange-moi ! », mais quelque chose me retient. Un genre de pudeur déplacée, je crois. Je me souviens soudain des révélations de Valia sur « Fred », que je devrais soi-disant bien connaître. Peut-être que Raphaël en sait un peu plus que moi.

— Dis donc, en parlant de bal, tu ne connais pas un certain Fred, par hasard ? Apparemment il est dans notre année.

— Fred ? Oui, en arts plastiques. On est allés au primaire ensemble, elle n'est pas antipathique.

— Non, pas elle ! Lui. C'est un garçon.

— Oh, tu veux dire Frédéric Rochon ? Pourquoi, qu'est-ce que tu veux savoir sur lui ?

Sa voix tout à coup prend un timbre inhabituel, un peu métallique. Agressif, même.

— Euh, c'est ma sœur, en fait. Elle m'a dit qu'elle sortait avec lui et je me demandais… ce que tu pensais de lui. Je n'arrive pas à me rappeler qui c'est.

— Ah. Bof, je ne le connais pas tellement. C'est un sportif, alors… Je sais seulement qu'il collectionne les filles. Donc dis à ta sœur de faire attention. Écoute, il faut que j'y aille. On se voit demain?

Il raccroche précipitamment, avant même que j'aie le temps de lui dire au revoir complètement. Il est souvent drôle, Raphaël. Tellement dans les nuages, dans ses propres pensées compliquées et ses stratégies d'échecs à mettre au point. Il ne se rend pas compte de la présence des autres. C'est pour ça qu'il semble un peu insensible, par moments. Il se perd et m'oublie, ou change d'humeur sans raison apparente. J'ai du mal à le cerner. Et puis, ce qu'il m'a dit à propos de Frédéric Rochon m'inquiète. Je remonte dans ma chambre et je trouve Valia en train de feuilleter un de ces magazines de filles qu'elle achète en cachette de maman. Elle tente de le dissimuler et de reprendre son manuel avant que je m'en aperçoive.

— Trop tard, je t'ai vue.

— À qui tu parlais?

— À Raphaël.

— Ouh, Raphaël!

— Tais-toi! On faisait notre rapport de chimie, c'est tout. Et puis n'essaie pas de changer de sujet! Montre-moi ton exercice de maths.

Je fais la prof, je ne veux surtout pas qu'elle me voie rougir.

CHAPITRE QUATRE

★ — Non, mais tu te rends compte ? À quoi ils ont pensé ? Qu'est-ce que je vais faire avec ma robe, moi ?

Min Thu ne décolère pas. Depuis une demi-heure que le cours de maths est commencé, elle ne cesse de siffler entre ses dents pour se plaindre de « l'absurdité de la décision des profs d'arts plastiques ». Mme Lagacé l'a déjà rappelée trois fois à l'ordre. Je n'arrive pas à me concentrer.

— Tu pourrais me répondre, au moins ! continue-t-elle en me lançant un regard chargé de haine.

— Qu'est-ce que tu veux que je te dise ? Tu n'as qu'à la rapporter au magasin…

Elle s'apprête à répliquer, mais Mme Lagacé ne lui en laisse pas le temps.

— Yulia ! Si mon cours ne t'intéresse pas, tu peux sortir, tu sais.

Elle me toise d'un air sévère, mais ses yeux me sourient, je le vois bien. Je m'efforce d'ignorer Min Thu et de transcrire dans mon cahier les formules écrites sur le tableau. Pour une fois, je n'y comprends rien. Lorsque la cloche sonne, Min Thu range ses affaires à toute vitesse et sort de la classe sans me regarder. Quel caractère de cochon !

— Min Thu ! Attends-moi !

Elle se retourne et ses cheveux lisses et brillants volettent dans tous les sens.

— Je n'arrive pas à le croire ! C'est inadmissible. Je vais déposer une plainte, faire circuler une pétition, mais il faut que ça change !

Elle s'arrête dans son élan, complètement essoufflée. J'en profite pour placer un mot.

— Min Thu, je ne comprends pas, tu n'as pas vu les affiches ? Entendu les annonces ? Ça fait des semaines, des mois, qu'ils ont annoncé le thème du bal… Même moi je le savais, et d'habitude je suis la dernière à être au courant de ces choses…

Mes paroles ne l'apaisent pas exactement. Elles semblent plutôt verser de l'huile sur le feu brûlant de son indignation.

— Je le sais bien ! Mais franchement ! Les *sixties* ! Pourquoi pas les hommes de Cro-Magnon, pendant qu'on y est ?

— Mais attends un peu de voir le résultat… Peut-être que ce sera très bien… Et d'abord, pourquoi tu n'y as pas pensé quand tu l'as achetée, ta robe ?

Si Min Thu est tellement furieuse, c'est moins à cause du choix du thème du bal que de la robe qu'elle s'est achetée la semaine dernière, sans moi. Une vraie robe de bal, blanche avec des fleurs violettes, magnifique à l'en croire. Et qui lui va à merveille. Mais c'est uniquement quand je lui ai soufflé (et je le regrette encore) :

— Tu es sûre qu'elle ira bien avec le thème ?

Pendant qu'elle me la décrivait avec force détails juste avant le cours de maths, elle s'est rendu compte de sa bévue.

— Je la trouvais trop belle, tente-t-elle de s'expliquer en se cachant le visage dans ses mains. C'est affreux! Non, je ne peux pas, je ne peux pas la rapporter! Elle a été faite pour moi, tu comprends? Yulia, je te jure, si tu la voyais...

Je prends Min Thu par le bras et je l'entraîne vers les vestiaires. Nous avons un cours d'éducation physique dans cinq minutes et je ne tiens pas à être en retard. Sa colère est passée toute seule, mais elle a presque les larmes aux yeux, à présent. C'est le drame!

— Écoute, je ne sais pas... De toute façon, on s'en fiche un peu du thème, non?

— Toi peut-être, oui! crache-t-elle méchamment en dégageant son bras. Mais ce n'est pas tout le monde qui a une mère couturière... L'école entière va se moquer de moi si je suis la seule à ne pas être habillée en sixties, continue Min Thu en repartant dans son délire paranoïaque et sans s'apercevoir une seconde qu'elle m'a blessée. Je ne serai jamais la reine: pour ça il faudrait que je porte un de ces déguisements ridicules!

J'ai oublié de mentionner que Min Thu fait elle aussi partie du « palmarès » des plus belles filles de l'école. Elle ne s'en vante pas souvent, mais malheureusement elle ne me laisse pas l'oublier non plus. Je crois qu'elle a un peu honte d'accorder une telle importance à tout ce cirque. Seulement, elle ne s'en rend habituellement compte qu'après avoir fait une crise de princesse capricieuse. On voit bien qu'elle est fille unique. Et les trucs que je prends pour calmer Assia quand elle réagit de la même façon ne marchent pas tellement avec elle. Je me tais donc, attendant que l'orage passe. Nous allons au vestiaire nous changer au milieu des autres filles qui ne sont sans doute pas aux prises avec le même immense deuil que Min Thu. Mon amie affiche un air boudeur qui décourage tout le monde de lui parler. Je vais donc m'asseoir près de Patricia, une fille qui est dans la plupart de mes cours et qui est plutôt sympathique.

— Salut, Yulia, dit-elle gentiment en me voyant arriver.

— Salut. On commence la gymnastique aujourd'hui, non ?

— Euh, oui je crois.

Le seul inconvénient dans ma relation avec Patricia, c'est qu'on n'a pas grand-chose à se dire. Elle n'a pas beaucoup d'amis, je pense, tout le contraire de Min Thu, et c'est sans doute pour ça qu'elle est venue me voir quand j'ai atterri à l'école. Elle m'a offert ses services pour me « familiariser avec l'école » — c'est la formule qu'elle a employée, mais comme j'avais déjà un parrain j'ai décliné — et est venue manger quelquefois avec moi quand elle me voyait seule et désœuvrée à une table de la cafétéria. C'est drôle, avec certaines personnes, comme Raphaël, les idées coulent facilement dans mon esprit et je n'ai aucun mal à les exprimer, malgré la barrière de la langue. Alors qu'avec d'autres on dirait que c'est toujours un peu forcé, figé dans une politesse coincée et paralysante. Malheureusement,

Patricia est de ceux-là. Nous restons assises par terre sans rien dire dans un vague malaise – en tout cas pour ma part – en attendant l'entrée de Mme Lalonde, la prof d'éducation physique.

Il y a quelque chose que je dois avouer : je déteste férocement les cours d'éducation physique. Je n'ai jamais apprécié l'exercice physique en général, mais depuis que je suis à Montréal, c'est de pire en pire. À Tel-Aviv au moins, les filles et les garçons étaient séparés, ce qui fait qu'on n'avait pas peur d'être humiliée en public dès qu'on faisait un mouvement. La vérité, c'est que tout le temps de mon secondaire là-bas, mes cours d'éducation physique se sont résumés à des séances de potinage sur le banc de touche avec mes amies, pendant que les mordues du sport se donnaient à fond (à notre place) sous nos yeux indifférents mais néanmoins reconnaissants. Ici, le mot d'ordre est simple. Tout le monde participe. Même – et surtout, pour Mme Lalonde qui est une adepte de l'expression « esprit d'équipe » – les sous-doués. Catégorie dont je fais évidemment partie. Ce qu'il y a de bien avec la gymnastique, quand même, c'est que c'est un sport individuel, donc personne ne s'intéresse de savoir si vous êtes doué ou non. Je me souviens qu'à mon arrivée en janvier, le sport du mois était le hockey. Enfin, pas le vrai hockey sur glace, plutôt le hockey sur le sol. Bref, le cauchemar. Je n'avais jamais joué au hockey de ma vie, ni manié un bâton ni même vu une rondelle. Le pire, c'est que j'ai l'air d'une sportive, je ne suis pas grosse, je n'ai pas de difformités particulières, et comme j'étais la

« nouvelle exotique », mes coéquipiers nourrissaient des espoirs grandioses à mon égard. Ils ont été cruellement déçus, je crois. Après ce mois atroce où ma vraie nature d'empotée s'est révélée au grand jour, j'ai toujours été choisie en dernier quand on formait les équipes. Au moins cette humiliation me sera-t-elle épargnée aujourd'hui. Mme Lalonde se plante devant nous avec son expression d'éternel enthousiasme et tente de nous transmettre la passion de la gymnastique dans un petit sermon de son cru. Ce n'est qu'à moitié efficace. Les garçons sont tous scandalisés d'être obligés d'apprendre un « sport de filles » et ne veulent rien entendre, alors que la plupart des filles, sauf moi et quelques blasées, affichent un sourire radieux.

Min Thu me lance un regard paniqué, elle est aussi allergique à l'effort physique que moi, et je sais aussitôt qu'elle a retrouvé ses esprits.

— Nous allons commencer avec le cheval d'arçon, continue Mme Lalonde sans tenir compte des soupirs découragés et autres manifestations de désespoir moins discrètes de la part des garçons. Vous allez voir, c'est très facile.

Min Thu et moi faisons tout notre possible pour nous rendre invisibles et ainsi passer notre tour sans que ça paraisse, mais Mme Lalonde a décidé de s'acharner sur nous aujourd'hui. On croirait qu'elle nous suit à la trace. Elle commence à montrer à la classe la figure qu'on doit exécuter, qui consiste tout bonnement à réussir à sauter au-dessus du cheval sans se casser la figure, puis cherche un volontaire pour essayer. Aussitôt, ses yeux s'arrêtent sur nous deux, cachées au fond.

— Ah, tiens, Yulia ! Si tu tentais ta chance !

Elle le fait exprès, j'en suis sûre. En plus, elle ne pouvait pas plus mal tomber. Non seulement je vais, une fois encore, me faire humilier gratuitement devant la classe entière, mais je vais aussi lui offrir la pire démonstration qui peut être faite du cheval d'arçon de sa carrière. Je sors du rang et me place derrière la ligne qu'elle me désigne, en priant pour au moins ne pas m'arrêter net à la dernière seconde.

— Vas-y ! m'encourage Mme Lalonde avec son grand sourire Crest.

Je regarde mes pieds, mes mains qui tremblent un peu au bout de mes bras inutiles. J'ai beau donner le change – même à l'intérieur de moi je donne le change –, je ne suis pas fière. Je ne suis pas fière d'être nulle en éducation physique, je ne suis pas fière de faire semblant de m'en ficher alors que je voudrais tellement que les autres me trouvent douée et me choisissent dans leur équipe. Je ne suis pas fière non plus de m'appeler Yulia Chtcharanski – un nom impossible à prononcer, même pour les fonctionnaires israéliens – et de mal parler le français même si j'essaie désespérément de le camou-fler en apprenant par cœur des listes de mots. Eh bien, je roule encore mes *r*, malgré ces stupides listes. Je ne suis pas fière d'appeler de moins en moins Valérie, je ne suis pas fière de ne pas penser à Michel certains jours, d'être plus préoccupée par un examen de maths, par exemple, ou par les sautes d'humeur dérisoires de Min Thu. Et je reste coincée sur cette ligne et je regarde mes pieds, pendant que Mme Lalonde et mes condisciples s'impatientent. Oh, je pourrais très bien dire que je ne peux pas le faire, je me suis cogné l'orteil ou foulé la cheville, je pourrais inventer une raison, je pourrais même dire « je suis désolée, Mme Lalonde, je ne crois pas en être capable tout de suite », et sûrement qu'elle ne me tourmenterait pas.

Mais voilà, je ne le fais pas. Je reste plantée là comme un pantin, figée sur le sol collant de sueur, et j'accepte. Plus j'attends, je le sais, plus les autres s'intéressent à mon cas. Le silence qui règne dans l'atmosphère pourtant traditionnellement détendue du gymnase est aussi lourd que pendant un examen. Je les entends presque retenir leur souffle, mais je me force à ne pas les regarder. « J'y vais à trois : un… deux… » Mes pieds me jouent un tour et s'élancent avant que je puisse penser « trois ». J'entends mes semelles claquer contre le béton et j'essaie de ne pas penser à ma façon de courir, que tout le monde sans exception a forcément le loisir d'admirer. Michel a toujours aimé ma façon de courir, ce qui signifie qu'elle est gauche et empruntée. Je ne sais pas courir naturellement, ce n'est pas un processus inné chez moi. Donc, je sais que je cours comme un canard. Au mieux, comme une autruche. Je m'approche de plus en plus près du cheval d'arçon, trop vite, mais je préfère encore une collision qu'un arrêt lâche. Je tente de me souvenir de l'endroit où placer mes mains, mais ma tête n'est qu'une bouillie rouge. Alors je plonge, n'importe comment, les mains en avant, et tant pis pour la grâce. Miraculeusement, je propulse mon corps au-dessus du cheval et je m'effondre sur le tapis de protection, tremblante et désarticulée comme une poupée de chiffons. Je ne me lève pas tout de suite. J'ai peine à reprendre mon souffle, et je sens une lassitude s'installer dans tous mes membres. Mme Lalonde m'applaudit, imitée par deux ou trois zélés.

— Très bien, Yulia !… pour une première fois.

Je sais qu'elle a l'intention de me faire un compliment, mais cela ressemble plus à un mot de consolation à mes oreilles. Les claquements des maigres applaudissements résonnent dans le gymnase d'une manière un peu sinistre et s'éteignent assez vite. Alors je me redresse, j'essuie la sueur qui coule le long de ma tempe et je retourne m'asseoir. Ensuite, c'est un cours tout ce qu'il y a de plus normal, et je réussis finalement à me fondre dans le décor. Seulement, je ne sais pourquoi, je me sens un peu plus seule que d'habitude.

Raphaël et moi finissons ensemble aujourd'hui, en chimie. Quand nous sortons de l'école, dans la lumière éclatante du printemps (ainsi donc tante Zena avait raison), il propose de me raccompagner. Thomas ne le lâche plus depuis sa déconfiture avec Vanessa, il est désormais dans l'incapacité d'accomplir la moindre action seul, même si cette action consiste à traverser le couloir pour se rendre aux toilettes. Je suis donc légèrement soulagée de le voir partir dans la direction opposée, ce soir. J'ai bien essayé de le réconforter, de le convaincre que tout le monde avait déjà oublié, mais il ne m'a pas crue – avec raison. J'ai surpris au moins trois filles à ricaner pendant le cours de chimie, en louchant vers notre table de travail. Ou alors elles riaient de ma performance au cheval d'arçon, ce qui ne serait pas improbable non plus, à bien y penser. Toujours est-il que Thomas habite à l'est de Cœur-Vaillant, et Raphaël et moi à l'ouest, il a donc bien été obligé de quitter son protecteur jusqu'au lendemain. En terme de protecteur, d'ailleurs, on pourrait faire mieux : Raphaël n'est pas exactement l'élève le plus populaire de l'école. Je jette un coup d'œil alentour avant de partir, au cas où Valia serait dans les parages, mais évidemment aucune trace d'elle.

— Pauvre Thomas, soupire Raphaël quand celui-ci n'est plus à portée de voix. Il fait vraiment pitié. En même temps, j'ai un peu de mal à le supporter douze heures par jour.

— Je sais… Est-ce qu'il pense, euh, ne pas venir au bal ?

— Pour l'instant, il en est encore à raser les murs dans l'espoir de disparaître, alors… il ne m'a pas tellement parlé du bal.

— Ah… et toi ? Tu vas y aller ? Tu ne m'as pas dit.

— Moi… sûrement. Tout le monde y va, non ? Ça ne me tente pas particulièrement, c'est vrai, mais…

— Qu'est-ce que tu ferais, toi, pour une soirée parfaite ?

— Pour la plus belle soirée de ma vie… Mm, c'est simple : j'inviterais chez moi la fille que j'aime, et on jouerait aux échecs, toute la soirée.

Je ris, sans même savoir s'il plaisante ou non.

— Toi, Raphaël, tu ne penses qu'aux échecs !

— J'aime comment tu dis mon nom. Personne ne m'appelle comme ça.

— C'est que je parle russe.

Raphaël me regarde et sourit. Nous marchons quelques instants en silence, et je me demande s'il pense aux échecs ou plutôt à la fille qu'il aime. Moi, c'est le souvenir de Michel qui me traverse l'esprit, étrangement, pour la deuxième fois de la journée. Je me demande s'il pense à moi, lui aussi. La nostalgie me prend à la gorge, j'aimerais lui parler.

— À quoi tu penses ? demande Raphaël en me voyant songeuse.

— Hein ? Oh, à rien de spécial. Ma mère s'est mise en tête de me coudre une robe, pour le bal, dis-je uniquement pour orienter mon esprit vers quelque chose de moins déprimant. Et bon, je m'attends au pire.

— Tu ne lui as pas dit que tu préférais en acheter une qui te plaise ?

— On voit que tu ne la connais pas !

Jusqu'à tout récemment, je ne pensais jamais au bal, malgré les efforts de Min Thu pour que je m'y intéresse. Pas que je ne voulais pas y aller, mais je m'en fichais, tout simplement. Et puis, bien sûr, maman est venue changer l'enjeu. La première fois que j'ai parlé du bal à ma mère, ce devait être fin avril, je ne l'ai même pas fait exprès. Min Thu n'arrêtait pas de me harceler avec ça, elle m'en parlait presque tous les jours et essayait de me communiquer son excitation, sans trop de succès, pour être honnête. Toutes ces histoires de limousines et de cavaliers et de machins ne m'intéressaient pas tellement. Et puis, je ne sais pas ce qui lui a pris. Un jour elle est venue à la maison pour un « tutorat » en maths et elle a croisé ma mère dans l'entrée. Maman prend des cours de français tous les dimanches matin, elle comprend donc quelques bases, et elle fait un minimum d'efforts avec les étrangers. Elle prononçait donc « bonjour » et « comment vas-tu » avec assez bonne volonté je dois dire, quand Min Thu s'est attardée pour lui parler.

— Oh, madame Chtcharanski, vous êtes au courant, n'est-ce pas, pour le bal ? Yulia doit absolument y aller, et on pensait louer une limousine avec quelques amis, bref faire les choses en grand, pensez-vous que ce soit une bonne idée ?

Maman m'a regardée, interdite, attendant sans doute la traduction simultanée. J'ai bredouillé quelque chose comme :

— Euh, elle parle du bal des finissants.

Je ne savais pas vraiment comment dire « bal des finissants » en russe ou en hébreu, donc ça sonnait plus comme « fête de fin d'année », mais c'était mieux de la laisser dans le flou pour l'instant. D'ailleurs, elle m'a lancé un long regard soupçonneux qui n'annonçait rien de bon. J'ai réussi à faire taire Min Thu et à l'emmener dans ma chambre, mais maman n'a pas lâché prise pour autant. Elle est d'une curiosité à toute épreuve, surtout pour tout ce qui concerne la vie trépidante de ses filles. Elle a décrété que c'était mon tour de faire la vaisselle ce soir-là, alors qu'en vérité c'était celui de Nathan et de Sacha, et est restée plantée dans la cuisine à me regarder faire. Tante Zena était là, je me souviens, elle était restée manger avec nous, et elle bavardait comme une pie, assise à la table de la cuisine. Il était plus de sept heures, mais papa n'était pas encore rentré du travail, chose qui lui arrivait presque toujours avant, à Tel-Aviv. Maman a interrompu tante Zena qui s'épanchait sur la hausse scandaleuse des prix à sa boucherie kasher préférée – « Il en profite parce qu'il est le seul du quartier, ce bandit ! » – et m'a demandé :

— De quoi elle parlait, ton amie Min Thu ? Je n'ai pas compris.

— Oh, euh, rien de spécial. Enfin, tu sais, en Amérique, à la fin de l'école secondaire, il y a une sorte de fête pour tous les élèves…

— Mais oui ! C'est le *prom*, est intervenue tante Zena, qui ne veut pas laisser passer une seule occasion de montrer qu'elle est dans le coup alors qu'elle se gave de séries et de films américains pour adolescents. Franchement, Dusha, ne me dis pas que tu n'en as jamais entendu parler !

— Quoi ? Oui, oui, bien sûr (maman a honte d'afficher son ignorance devant sa belle-sœur). Le *prrom*, a continué maman d'un air songeur. Eh bien, Yulia, tu ne comptes pas y aller, j'espère ?

— Euh, pourquoi ?

Effectivement, je ne comptais peut-être pas y aller. Ou plutôt, je n'étais pas particulièrement excitée à l'idée d'y aller. Mais moi, je connais bien ma mère. Elle croit qu'elle a le pouvoir (et le devoir !) de tout décider à ma place. De ce que je ferai de ma soirée et de ma fin de semaine. De qui j'inviterai à la maison et chez qui j'irai. De qui je serai ou ne serai pas l'amie. Des vêtements que je porterai. De ce que j'étudierai après le secondaire. Alors, quand elle s'est mise à s'opposer à ça, en plus, même si c'était un événement qui pour moi n'avait pas la moindre importance... Je ne sais pas. C'était trop !

— C'est tellement dangereux, ces soirées, disait maman sans s'adresser à personne en particulier. Tous les drames qui se produisent, tout le temps... et la drogue, l'alcool, et, et... Non, jamais je ne laisserai ma fille participer à ça.

— C'est organisé par l'école, Dusha, a tenté de la raisonner tante Zena. Je doute que l'école permette la consommation de drogue et d'alcool, tu ne crois pas ?

Malheureusement, avoir tante Zena pour alliée ne pouvait que jouer en ma défaveur. Maman trouve que tante Zena est un peu trop libérale.

— Oui, c'est ce qu'ils disent ! s'est indignée maman. Mais en pratique, c'est autre chose...

Elle ne me regardait même pas. J'aurais tout aussi bien pu être invisible.

— Maman..., ai-je tenté de m'interposer.

Mais elle ne m'a pas laissée continuer.

— Ça suffit, Yulia. Je ne tolérerai aucune discussion. Tu n'iras pas. Et puis, je me trompe, ou de toute manière tu as toujours détesté ce genre d'événement?

Elle a enfin levé les yeux vers moi. On s'est défiées du regard quelques secondes (chose rare entre maman et moi; ce genre d'exercice est plus fréquent avec sa seconde fille), et j'ai lancé:

— J'en ai assez que tu m'interdises tout! Je ne suis bonne qu'à garder les petits!

— Yulia!... Tu ne lèveras pas la voix sur ta mère! Monte dans ta chambre!

Au lieu de lui obéir, j'ai laissé tomber l'assiette que j'avais entre les mains d'un air de défi. Elle a éclaté sur le sol dans un bruit d'enfer. Sacha, Meir et Nathan ont accouru du salon où ils regardaient une émission stupide à la télé. Gavriella, qui était sur les genoux de tante Zena, a éclaté en sanglots. Bref, un succès total. Ils me regardaient tous avec des yeux ronds comme des soucoupes, même Zena et maman, et moi aussi j'étais un peu hébétée par ma propre réaction. Je n'ai pas l'habitude de perdre mon calme. Maman était blanche de rage. Elle a pris Gavi dans ses bras pour la consoler. Sa voix tremblait lorsqu'elle m'a dit:

— Tu ramasseras les débris, Yulia. Je ne veux pas que quelqu'un se blesse.

Ensuite, elle est sortie de la cuisine et Meir m'a demandé:

— Pourquoi tu as cassé l'assiette, Yulia?

— Ne t'approche pas, Meir. Retournez dans le salon, les enfants.

Ils ont tourné les talons sur la pointe des pieds, comme s'ils avaient peur que je me mette à sortir toute la vaisselle pour la leur jeter à la tête. Tante Zena est restée avec moi et m'a aidée à faire le ménage. Elle essayait de minimiser le problème en poussant de petits soupirs de sympathie et en prophétisant des « ça va aller, ne t'inquiète pas », mais au fond, elle n'avait rien à dire. Après cet événement, maman ne m'a plus adressé la parole pendant trois jours et tante Zena a évité de nous rendre visite. Je n'ai pas expliqué à Min Thu la gaffe qu'elle avait commise. Elle n'aurait pas compris, et je ne pouvais tout de même pas la blâmer pour mon impulsivité et l'étroitesse d'esprit de ma mère. En revanche, j'ai tout raconté à Valia. Je voulais retrouver la complicité qu'on partageait avant de déménager, et par un autre moyen qu'en l'aidant dans ses devoirs. En plus, Valia est une experte dans le domaine de faire ce qu'elle veut en dépit de ce qu'en pensera maman. Quand je lui en ai parlé, avant de nous coucher ce soir-là, elle a battu des mains d'excitation.

— Il était temps que tu t'affirmes, Yulia ! Je pensais que tu étais en train de devenir un clone de maman !

— Arrête ! Je ne suis pas comme elle, je… je ne cherche pas à contrôler tout le monde, moi…

— Et c'est maintenant que tu t'en rends compte, qu'elle veut contrôler tout le monde ?

— Valia ! Il faut que tu m'aides.

— Bon. Mais je croyais que ça t'était égal, ce bal ?

— C'est vrai. Mais depuis que Min Thu m'en parle, je ne sais pas... J'aimerais ça, faire quelque chose comme les autres, pour une fois ! Je suis tout le temps ici, à jouer à la mère de famille nombreuse, sous prétexte que je suis la plus vieille et que j'ai des « responsabilités ». Et en plus, elle dit n'importe quoi ! Tout ce qu'elle raconte, c'est... Elle ne me fait pas confiance ! Qu'est-ce qu'elle va s'imaginer ? Que juste parce que je vais à ce stupide bal, je vais changer de personnalité en une nuit ?

Je m'étais redressée dans mon lit, et sans m'en apercevoir j'avais haussé la voix.

Mais bon, je ne pouvais pas faire grand-chose. Et Valia se vante peut-être de posséder le statut de rebelle de la famille, elle n'avait pas plus de conseils à me donner. Elle, tout ce qu'elle voulait, c'était répéter qu'à ma place, en tout cas, elle ne demanderait pas la permission à maman pour n'en faire qu'à sa tête.

Après quelques jours de patience, j'ai tout essayé pour qu'elle m'adresse à nouveau la parole, mais c'était peine perdue. Assia et Roni ne cessaient de me demander :

— Yulia, pourquoi maman ne t'aime plus ?

Maman faisait semblant de ne pas entendre. Papa n'était pas au courant, comme d'habitude. Comme pour toutes les choses importantes, maman avait sans doute décidé de ne pas lui en parler, pour ne pas l'inquiéter. Sauf que « ne pas inquiéter quelqu'un », pour maman, signifie principalement lui cacher un enfantillage ou un acte répréhensible dont elle s'est rendue coupable. Mais c'est quand même papa qui m'a sauvé la mise, malgré tout. Un soir, il est rentré du travail un peu plus tôt. J'étais en train de donner son bain à Gavi et elle mettait de l'eau partout. J'ai entendu des pas dans l'escalier et papa est apparu à la porte de la salle de bains. D'ordinaire, il part travailler tôt le matin et ne revient que vers neuf ou dix heures du soir. Donc, je ne l'aperçois qu'en coup de vent, et une fin de semaine de temps à autre quand il n'a pas de séminaire à l'extérieur. Il dit que c'est normal, qu'il doit se faire une place dans sa nouvelle entreprise, prouver qu'il est bon. Mais maman se plaint, évidemment. Elle se met même à regretter le temps où on était à Tel-Aviv.

— C'était tellement plus simple, là-bas ! Ton bureau à côté, toutes les soirées et les fins de semaine libres…, l'ai-je entendue dire à papa quelquefois.

Lui soupire et se tait. Il se tait presque toujours, quand maman se plaint. Il ne lui rappelle même pas qu'elle tenait exactement les mêmes propos il y a un an, et qu'il travaillait tout aussi tard. Mais que bien sûr elle n'est jamais contente nulle part. Il n'y a que Valia pour lui parler franchement, et j'avoue que parfois je l'approuve. Bref, j'étais surprise de voir papa si tôt. Il s'est avancé et m'a proposé de prendre ma relève, mais Gavi s'est mise à pleurer en le voyant, j'en ai donc conclu que ce n'était pas une bonne idée. Elle n'est pas habituée à le voir, elle a un peu peur de lui.

— Comment ça va, Yulia ? a-t-il demandé en s'efforçant de couvrir les couinements de Gavi.

— Euh, bien.

J'ai sorti Gavi de la baignoire et je l'ai enveloppée dans une serviette. Je ne voulais pas regarder papa en face parce qu'il sait toujours quand je suis préoccupée. Mes sourcils se froncent de la même façon que les siens. Il l'a remarqué pourtant.

— Yulia… qu'est-ce qui se passe ? Tu as des problèmes à l'école ?

— Non…

L'idée m'est venue qu'il était peut-être revenu plus tôt parce qu'il se doutait de quelque chose. J'ai tendance à l'oublier, mais papa profite du temps gagné à se taire pour observer ce qui se passe autour de lui. Je suis allée mettre son pyjama à Gavi, et j'allais me préparer à chercher Roni, c'était son tour de se laver, et je prévoyais que ce serait tout un cirque de le traîner jusqu'en haut : il veut toujours se coucher en même temps que les « grands ». Mais papa m'a attendue.

— Yulia, ne t'enfuis pas. Qu'est-ce qui te tracasse ?

— Je… me suis disputée avec maman.

— Toi, tu t'es disputée ? Mais pourquoi ?

Je lui ai expliqué comme j'ai pu, sans essayer de minimiser mon mouvement d'humeur aussi inattendu qu'inexplicable.

— Ah, Yulia ! Ta mère…

Il n'a pas continué sa phrase. Il a secoué la tête, doucement, il m'a regardée avec douceur.

— Je regrette de ne pas être là plus souvent.

— Tu vas lui parler ? Parce que je lui ai demandé pardon, mais elle n'a rien voulu entendre.

— Ne t'inquiète pas. Et pour ta « fête », je trouverai un moyen de la convaincre.

Et miraculeusement, le lendemain matin, maman m'a prévenue de ne pas oublier de rapporter du pain en rentrant de l'école, comme si de rien n'était. Et le soir venu elle m'a très sérieusement demandé si les parents étaient invités au bal. J'ai réussi de peine et de misère à lui expliquer que non, ce n'était pas pour les parents, uniquement pour les élèves, qu'elle ne devait pas s'inquiéter, qu'elle ne devait surtout pas surgir en plein milieu de la soirée pour vérifier que tout allait bien. Depuis, elle s'est lancée dans une opération de couture effrénée, sans me demander mon avis, évidemment. Je ne sais pas encore ce que ça donnera. Elle ne cesse de me répéter que ce sera sa meilleure création, et que je serai la plus belle, avec une toilette unique ! Complètement hors sujet, étant donné que les ébauches du chef-d'œuvre de maman s'apparentent plus à l'idée d'une robe de mariée d'une princesse russe de l'époque prérévolutionnaire qu'à quelque chose des sixties, mais bon… Au moins j'ai obtenu le privilège d'y aller.

CHAPITRE CINQ

★ Raphaël me raccompagne jusqu'à ma porte, ce qu'il ne fait pas habituellement. Il tourne toujours une rue plus tôt que moi, mais aujourd'hui il dépasse son intersection sans faire de commentaire. Il a peut-être remarqué que j'ai la tête ailleurs et cherche à me distraire. Je ne sais pas ce que j'ai depuis ce matin, je n'arrête pas de penser à Valérie et à Michel, j'aurais envie de les retrouver et d'aller à la plage avec eux, même si pendant l'année scolaire je n'en ai pas la permission. C'est le temps doux et ensoleillé qui me rappelle là-bas. Jusqu'à présent je n'avais vu que le froid et la neige et la pluie. Nous arrivons devant la maison. Je m'apprête à inviter Raphaël à entrer, nous pourrons peut-être jouer une partie d'échecs, si les petits ne nous embêtent pas trop, mais immédiatement je sens que quelque chose cloche. Maman est assise sur le balcon, ce qui ne lui est jamais arrivé, elle tient Gavriella sur ses genoux, et Roni et Assia se pressent contre elle. Mais elle ne les regarde pas. Elle les ignore et elle pleure, le nez dans le cou de Gavi. Je reste plantée sur le trottoir sans savoir quoi faire (m'occuper de maman, de Raphaël, des petits ?), et maman ne semble pas encore avoir remarqué ma présence. Roni et Assia, eux, courent vers moi et s'accrochent à mes vêtements comme à une bouée de sauvetage.

— Maman pleure, m'informe inutilement mon frère.

Raphaël s'aperçoit enfin qu'il y a un problème.

— Je te laisse, me glisse-t-il brièvement à l'oreille, et il se sauve presque en courant.

Je prends les deux petits par la main et je m'approche doucement de maman, qui est trop concentrée sur ses larmes pour lever la tête.

— Maman ? dis-je doucement en lui touchant l'épaule. Tu pleures ?

Ce n'était peut-être pas nécessaire d'ajouter cette dernière question, considérant que le bruit de ses sanglots est en train d'ameuter tout le quartier.

— Oh, ma Yulia, c'est toi... Prends Gavi, et emmène les deux autres dans la maison. Je vous rejoins tout de suite.

Maman ne m'appelle pratiquement jamais « ma Yulia ». Gavi me regarde avec de grands yeux tout ronds pendant que je la transporte à l'intérieur, je lui chantonne une vieille berceuse en hébreu que j'ai apprise à l'école, pour me changer les idées et aussi parce que j'ai envie de sentir encore les sons de cette langue dans ma bouche. Je mets de l'eau à chauffer pour faire du thé, ce qui contribuera peut-être à réconforter maman, peu importe la raison pour laquelle elle est dans un tel état. Je m'efforce de paraître calme et souriante, afin de faire oublier à Roni, à Assia et à Gavi la crise qu'ils viennent de vivre. Roni n'arrête pas de se mettre dans mes jambes, il me pose des questions pour me faire enrager, signe qu'il va beaucoup mieux.

C'est une de ses spécialités, les questions idiotes et répétitives.

— Yulia, c'était ton amoureux, avec toi ?

— Mais non. Mon amoureux, c'est Michel, tu ne te souviens pas ?

— Non. Est-ce que c'était ton amoureux, dans la rue ?

— Roni, arrête !

— Avoueavoueavoue...

— Roni, c'est assez ! Pousse-toi de mon chemin.

— Yulia a un amoureux, Yulia a un amoureueuh !

Cet enfant est inépuisable. Maman est toujours sur le balcon, mais au moins je ne l'entends plus pleurer. Je vais lui apporter son thé, brûlant et avec plein de sucre comme elle l'aime. Elle me tourne le dos et fait face à la rue, immobile comme une statue. Elle s'est redressée, se tient toute droite, ses cheveux noirs brillent dans le soleil. On distingue déjà quelques mèches grises, çà et là.

— Maman ?

Elle se retourne, le visage défait, mais en même temps froid comme de la glace. Je me rends soudain compte qu'il se passe quelque chose de grave, qu'il ne s'agit pas que d'un caprice comme je le croyais tout à l'heure. Je lui tends sa tasse de thé.

— Merci, chérie.

— Maman... il n'est pas arrivé quelque chose à papa ?

— Non. Ce n'est pas lui. Je viens de recevoir un appel de Tel-Aviv. C'est ta Baba. Elle... elle est très gravement malade.

Sa main tremble légèrement et elle renverse un peu de thé sur sa jupe. Mais elle ne s'en aperçoit pas. J'accuse le choc en silence. Pour une force de la nature comme Baba, être très gravement malade n'est pas tellement bon signe. Maman boit une gorgée et reprend difficilement :

— Les Markov m'ont appelée cet après-midi pour m'avertir. Elle est à l'hôpital, et ils ont essayé de m'expliquer ce qu'elle avait exactement, mais bon… Je ne crois pas que les médecins eux-mêmes le sachent. Et évidemment on ne peut pas lui parler !

— Depuis quand elle est à l'hôpital ?

— Je ne sais pas ! Deux ou trois jours peut-être, ils ont dit qu'ils ne voulaient pas m'inquiéter, mais qu'ils n'ont pas pu faire autrement quand son état a empiré. Ah, ils ont réussi leur coup, de ne pas m'inquiéter ! Et puis, je la connais bien, ta grand-mère : pour qu'elle se rende à l'hôpital, il faut qu'elle soit à l'article de la mort !

Elle se remet à pleurer. Je sais qu'elle se sent coupable. Ce serait un euphémisme de dire que la relation de maman avec sa propre mère est quelque peu houleuse. Quand on était encore à Tel-Aviv, elles se disputaient tous les jours. En plus, Baba n'a pas accepté qu'on parte. Elle et maman n'ont pas cessé de se chamailler à ce propos tout au long de l'année dernière, et depuis qu'on est arrivés ici, Baba ne répond pas au téléphone. J'imagine qu'elle possède des antennes spéciales qui sentent la présence néfaste de sa fille à travers les lignes téléphoniques. Quand j'étais petite, j'avais une peur bleue de Baba.

Une grand-mère, c'est censé être une personne un peu gâteuse, qui cuisine des gâteaux et tricote des chaussettes, qui te donne de l'argent en cachette de tes parents et parle d'une voix douce, te raconte ses bêtises de petite fille… En tout cas, c'est toujours comme ça que sont dépeintes les grands-mères dans les histoires. La mienne s'apparenterait plus à une méchante belle-mère. Ou à une vieille sorcière, selon les jours. Mais pour les gens qui ne la connaissent pas, ce n'est pas facile de faire une telle constatation. Baba est très, très distinguée, elle porte des bijoux et met du parfum Chanel, elle parle du bout des lèvres et toujours avec une petite moue au coin de la bouche. Elle ne nous embrasse jamais, nous les enfants, et nous fixe en fronçant les sourcils, comme si elle était incommodée par notre présence et se demandait ce qu'on peut bien fabriquer dans la même pièce qu'elle. La seule de nous dont elle peut supporter la compagnie, c'est Valia. Parce que Valia ressemble à sa fille. Pas à maman, non. À son autre fille qu'elle a perdue.

Moi, je pense qu'elle ne m'aime pas du tout. Elle a déjà dit à maman, devant moi, qu'elle me trouvait « étrange et pas très futée ». « Une future mère de dix enfants », avait-elle ajouté sur le ton ironique qu'elle affectionne quand elle parle à maman de sa famille nombreuse. Ce n'était pas un compliment. De toute manière, rares sont les personnes qui trouvent grâce à ses yeux. Je ne compte que Valia, qui a un statut spécial de par son air téméraire, ses répliques impertinentes – que Baba qualifie de spirituelles –

et ses cheveux blonds; et un peu Nathan parce qu'il est beau et qu'il ne court pas partout. Sinon, elle trouve à redire à tout, particulièrement aux choix de maman. Baba croit sincèrement que toutes les décisions que prend maman ont pour but ultime de la persécuter.

— Tu t'exiles au Canada pour ne pas avoir à t'occuper de moi, a-t-elle sifflé de sa voix snob et toujours mesurée quand elle a appris notre départ.

— Tu peux très bien prendre soin de toi-même toute seule, a répondu maman, et Baba est partie.

Elle n'est même pas venue nous accompagner à l'aéroport. Alors je comprends pourquoi maman est dans un tel état. Elle en veut à Baba, et elle s'en veut de lui en vouloir.

Ça remonte à très loin, je crois, toute la frustration qui s'est accumulée entre ces deux-là. Et moi, je ne connais que des bribes de l'histoire, glanées ici et là dans des conversations entre papa et maman, ou dans des commentaires perfides et lourds de sous-entendus lancés par Baba. Je sais que maman est née en Russie, et qu'elle avait une grande sœur, là-bas, qui s'appelait Tania. Mais Tania est morte, un jour, et ça je ne sais pas pourquoi ni comment. Je crois que maman elle-même ne le sait pas. Elle était encore petite, elle devait avoir huit ou neuf ans. Alors Baba a comme perdu la tête. Elle a quitté son mari, notre grand-père, et s'est enfuie en Israël, brusquement, sans laisser d'adresse. Maman n'a plus jamais revu son père. Elle se souvient à peine de son visage. Je n'ai aucune idée s'il vit encore quelque part ou s'il est mort. Baba s'est très mal occupée de la seule fille qui lui restait, à partir de ce moment. Je pense qu'elle a regretté d'avoir emmené maman avec elle. Je pense qu'elle a reproché à maman de ne pas lui avoir permis de vraiment « recommencer sa vie » en Israël. Comme je l'ai dit, je ne suis pas au courant des détails. Je sais seulement que maman a grandi un peu de travers, comme une plante sauvage, et qu'elle a sauté sur la première occasion – en l'occurrence, sa rencontre avec papa – pour s'en aller fonder son propre foyer.

Je m'assois sur les marches du balcon et j'attends que maman me parle ou se plaigne, bref qu'elle se comporte comme elle le fait habituellement à l'occasion d'un drame quelconque. Mais elle reste plongée dans ses pensées et se tait, ce qui ne lui ressemble pas. Elle ne me demande même pas où sont passés les petits, à croire qu'elle a oublié jusqu'à leur existence.

— Qu'est-ce que tu penses faire ? demandé-je enfin, parce que le silence me pèse vraiment trop.

Je ne me retourne pas, je l'entends respirer dans mon dos.

— Essayer de l'avoir au téléphone, j'imagine. Je ne vois pas quoi faire d'autre. Après j'aviserai.

— Et papa, il est au courant ?

— Pas encore, je n'ai pas réussi à le joindre.

Maman se lève péniblement et s'avance vers la porte.

— Bon ! Ça suffit, maintenant. Allons préparer la collation des affamés. Pour Baba, nous verrons plus tard.

Elle rentre dans la maison, et moi je reste encore un peu sur le balcon, à goûter au chaud soleil de fin d'après-midi. Bientôt Sacha et Meir vont rentrer ensemble de l'école, comme tous les jours, puis ce sera Nathan, un peu plus tard s'il va chez un copain. Et ensuite Valia, toute rose et souriante d'avoir passé la journée à bécoter son amoureux. Et enfin papa arrivera, et maman pourra lui raconter, se décharger sur lui de ses angoisses. Je pense à Raphaël qui est parti si vite et je me demande ce qu'il fait, en ce moment même. Quand il n'est pas avec moi, souvent je me demande ce qu'il fait. Sans doute ses devoirs, ou peut-être qu'il se promène dans le quartier avant de rentrer s'enfermer dans sa chambre. Il a de commun avec moi qu'il adore marcher, se promener dans la ville. Lui, ça lui arrive de sortir de Rosemont. Parfois il traverse tout Montréal du nord au sud, ou il fait la rue Sherbrooke d'ouest en est. Il dit que ça l'aide à penser, qu'il réfléchit à des coups d'échec, des stratégies, je ne sais pas comment ça s'appelle, mais des heures durant il ne pense plus qu'aux échecs. C'est vraiment la passion de sa vie. Je me sens un peu coupable d'avoir Raphaël en tête plutôt que Baba ou maman, mais je ne peux quand même pas contrôler mes idées.

Les jours passent à toute vitesse et je n'ai pas le temps de demander à maman des nouvelles de Baba. On dirait que papa et elle ne s'en sont même pas parlé. En tout cas, c'est le silence radio des deux côtés. J'ai tenté d'en toucher un mot à Valia, un soir où je n'arrivais pas à trouver le sommeil. Elle a répondu avec un rire léger :

— Comment tu peux t'inquiéter pour cette vieille sorcière ? Tu la connais, va, elle est plus forte qu'un roc ! Et ce n'est pas moi qui la regretterai.

— Ne dis pas ça ! Moi non plus, je ne la porte pas dans mon cœur, mais ce n'est pas tellement pour Baba que je m'inquiète. Plus pour maman.

— Arrête un peu, Yulia, avec tes airs de sainte ! Maman va très bien ! C'est toi qui angoisses sur tout et sur rien. Et puis tais-toi, s'il te plaît, j'ai envie de dormir.

Je me suis donc tue, et les ronflements légers de ma sœur (chez elle tout est léger, du rire aux pleurs en passant par les ronflements) ont bientôt rempli la chambre. Moi, je mets toujours au moins une heure à m'endormir.

CHAPITRE SIX

★ En ce bel après-midi de juin, Raphaël et moi sommes assis à la table de sa cuisine, en train d'essayer désespérément de comprendre les explications particulièrement subtiles de M. Pescoa au sujet des lois de l'électricité traitées dans le chapitre 9.1 de notre manuel. Il nous gave de notes de cours et réussit à trouver dix millions d'exemples provenant de notre « vie quotidienne » pour expliquer les théories, sauf que j'ai souvent de la difficulté à m'y retrouver. Je suis un peu plus faible en physique qu'en maths, je ne sais pas bien pourquoi. Papa m'a toujours assuré que la physique et les maths sont voisines, mais pour moi les maths m'ont toujours parues teintées d'une certaine luminosité, d'une clarté qui m'attire irrésistiblement. J'ai déjà essayé de parler de cette métaphore de la terre promise à Valia, au temps où je pensais pouvoir lui communiquer ma passion, mais elle m'a ri au nez et m'a traitée de folle. Je crois que Raphaël comprendrait, lui. En tout cas, il est aussi calé en physique que je le suis en maths. C'est lui qui m'a proposé d'aller étudier chez lui, et même si j'étais un peu gênée, j'ai accepté. Je suis peut-être déjà venue deux ou trois fois, mais Thomas était toujours avec nous. Aujourd'hui il ne l'a pas invité. Je le soupçonne de le trouver un peu pénible, depuis l'affaire Vanessa. Et puis Valia est confinée à la maison toute la semaine, depuis que papa s'est rendu compte qu'elle échouait dans presque toutes les matières, je n'ai donc pas à m'inquiéter de rentrer plus tôt pour aider maman. Je lui ai dit que je restais pour étudier à l'école, avec des amies, et elle m'a crue. Pourvu que Valia se taise, elle m'a vue partir avec Raphaël. Mais ce n'est pas son genre de dénoncer. Et puis, ce n'est pas un bien grand crime: j'étudie vraiment.

L'examen final est pour bientôt, et M. Pescoa nous a conseillé de nous y mettre à l'avance. Cette semaine, il nous a donné congé de devoirs, mais au moins une centaine d'exercices à faire pour bien nous préparer. Tous les autres en profitent pour se la couler douce, sauf Raphaël, qui fait des exercices pour son propre plaisir. Je suis incapable de me concentrer sur mes notes, censées m'éclairer sur ce que je dois résoudre à l'exercice numéro 2, mais je ne veux pas le déranger. Je lève la tête doucement, il est assis en face de moi et remue subrepticement les lèvres, il mordille un peu son crayon. Je jette un coup d'œil sur sa feuille et je me rends compte qu'il en est déjà au numéro 10. Il est tellement perdu au pays de la physique qu'il ne se rend pas compte que je le fixe déjà depuis plus de trente secondes. J'aimerais bien qu'il me regarde. Je ne suis jamais sûre avec lui. Je ne suis jamais sûre de ce qu'il pense, au plus profond de son esprit. Il est tellement secret. On croirait que sa vie entière n'est qu'une longue partie d'échecs, une lente partie où tous les coups sont mesurés, préparés, où rien n'est laissé au hasard. Il me parle rarement de lui-même. Sauf une fois, il m'a dit que son père n'habitait plus avec lui, et que la dernière fois qu'il l'a vu il devait avoir douze ans. Il vit tout seul avec sa mère et ne me parle presque jamais d'elle. De temps en temps j'essaie de l'interroger, et il répond laconiquement. Il prétend que ce n'est pas intéressant, comparé à mon passé et à ma vie trépidante « d'aventurière ».

— Raphaël... murmuré-je sans pouvoir m'en empêcher.

Il lève enfin la tête et me sourit gentiment. Comme je le prononce à la russe, ça sonne plutôt *Rrrafaïl*.

— Oui ?

— Euh, je ne comprends pas l'énoncé numéro deux. Comment ça se fait qu'on ne tienne pas compte de l'énergie trucmuche pour ce cas particulier ?

— Attends, tu es certaine ? Montre-moi ce que tu as fait.

Ce qu'il y a de bien avec Raphaël, c'est qu'il ne se montre jamais condescendant. À croire que c'est lui qui a honte d'être si brillant en science et en général. Il prend un ton timide pour m'expliquer, ne me demande jamais si je comprends, mais bien si ce qu'il dit est clair. Bref, tout le contraire de moi quand je peine à rester patiente avec Min Thu ou Valia. Raphaël pose sa main sur mon cahier et, sans trop le vouloir, je cesse de l'écouter. J'observe sa main. Ses doigts sont fins, ses ongles sont courts et propres, ce qui est rare chez un garçon. Mais c'est vrai qu'il n'est pas tellement manuel. Il a des mains un peu comme celles d'un pianiste, tout le contraire du reste de son corps dégingandé d'adolescent monté en graine. Il s'arrête de parler brusquement et je me rends compte qu'il vient de me poser une question. Mais je m'intéresse toujours à ses mains. Elles ne collent pas avec le reste de son corps.

— Euh… Yulia ? Tu as compris ?

— Quoi ? Oui oui, très bien, c'est clair.

Ce n'est pas tellement convaincant, mais bon, je n'avais qu'à écouter. Il ne me reste plus qu'à me débrouiller toute seule. Raphaël se redresse et retire sa main de mon cahier, ne laissant que la mince empreinte de ses doigts. Je n'ai plus envie de travailler. Mais j'ai honte de l'avouer à un bourreau de travail comme lui. Il doit s'être aperçu de ma perte de motivation, pourtant, parce qu'il suggère :

— Et si on prenait une pause ?

— Bonne idée ! Je n'osais pas te le proposer.

— En plus, j'ai quelque chose à te demander.

— Vas-y.

Il semble gêné subitement et je me mets à avoir peur : et s'il voulait m'inviter pour le bal ? En tant qu'amie, ou… plus ? Qu'est-ce que je répondrais ? Il m'en a déjà glissé deux ou trois mots, je veux dire, il m'a déjà demandé si je comptais y aller, et comment, et ce que je pensais du thème… Et puis, maintenant que Min Thu s'est trouvé un cavalier de « dernière minute », comme elle l'appelle assez peu flatteusement, je n'ai pas l'excuse de prétendre que j'y vais avec elle. Et puis, et puis, je ne peux pas nier que je m'éloigne de plus en plus de Michel, et, et… Mais mon esprit s'emballe et je ne pense plus clairement. Je souris et j'attends calmement. Heureusement – ou malheureusement ? – la discussion prend une tout autre tournure.

— Tu connais Jonathan Péloquin ?

— Ben, je sais vaguement qui c'est, oui, réponds-je, prise au dépourvu.

— Alors tu as entendu parler du party qu'il fait demain soir chez lui ?

— Min Thu me l'a peut-être dit la semaine dernière, mais… je ne sais plus. En tout cas, je crois qu'elle y va, elle. Moi, honnêtement, je ne sais pas ce que j'irais faire là.

— Ah, parce que Jonathan est un bon ami de Mathieu, tu sais, le gars dans mon équipe d'échecs, et je me suis dit que j'irais peut-être faire un tour, et je me demandais si tu n'avais pas envie de venir avec… avec moi.

Bon. Alors il s'agit bien d'une invitation. Peut-être une sorte d'échauffement pour le bal. Le fameux bal dont je me passerais bien. Je me surprends à penser que je suis sans doute l'une des seules personnes de cinquième secondaire – avec Thomas et Raphaël lui-même, bien sûr – à ne pas avoir encore de partenaire, et qui plus est à ne pas en chercher. Sauf que je ne suis pas bien placée pour juger, étant donné que je ne connais pas les trois quarts des élèves de mon année.

— Mais… tu détestes les parties ! (j'ai du mal à prononcer « parties » comme il faut) Enfin, c'est ce que tu m'as déjà dit…

— Oui, bon, c'est vrai. Mais je m'étais dit que ce serait bien de faire quelque chose d'autre qu'étudier, de temps en temps. J'ai l'impression de ne faire que ça depuis un mois. En plus, ce n'est pas comme si c'était important, je veux dire, ce n'est pas si grave si on n'a pas des notes de la mort, on est acceptés au cégep, il n'y a pas de quoi paniquer…

— Mais j'aime étudier !

C'est vrai. C'est même une des rares choses que je sache faire à peu près convenablement. Une des rares situations de ma vie où je me sens à l'aise et moi-même. Surtout depuis que je suis ici, et que je ne sais plus comment me définir. Au moins, je suis toujours, et pour tout le monde, Yulia la bosse des maths. Ou encore Yulia la bûcheuse, pour les mauvaises langues qui sont au courant de mon existence. Ça me rassure, d'étudier. Et je sais bien que Raphaël est comme moi, d'une certaine façon. Sinon on ne serait pas devenus amis. De vrais amis. Ce n'est pas comme Min Thu, avec qui je me sens toujours plus ou moins sur mes gardes. À sélectionner les sujets de conversation dans ma tête. À tourner ma langue sept fois dans ma bouche avant de répondre à ses questions. Avec Raphaël, je me sens sur la même longueur d'ondes.

— Non, non, je sais ! Je me disais seulement que ça te ferait du bien, de t'amuser un peu ! De *nous* amuser, plutôt !

— C'est gentil, Raphaël, mais… je ne crois pas que je m'amuserais, là-bas. Et euh, le vendredi soir, ce n'est pas possible, le, euh, le shabbat commence.

Il me regarde bizarrement, et je me demande s'il pense lui aussi à ce vendredi soir de février où je suis restée à l'école jusqu'à dix heures pour assister à son tournoi d'échecs. Ma famille ne pratique pas assidûment le shabbat, même si mes parents tentent de se convaincre que oui.

— Ah bon… je ne sais pas si j'irai, alors.

— Mais si, ne te prive pas pour moi !

Je fais un peu l'ignorante avec lui, à la limite de la débilité. Ces dernières semaines, on s'est beaucoup rapprochés, lui et moi. Un peu trop, peut-être. Je surprends parfois Thomas à nous lancer des regards étonnés et presque soupçonneux, comme s'il savait quelque chose que je m'efforce de ne pas remarquer.

Quand je rentre à la maison un peu plus tard, après avoir décliné l'invitation de Raphaël de rester souper chez lui, Valia se rue sur moi tout excitée, son incroyable chevelure volant dans tous les sens. Elle s'efforce de garder son sérieux mais je la connais assez bien pour savoir qu'elle doit se retenir pour ne pas sautiller de joie. Il règne le vacarme habituel dans la maison mais, après plusieurs heures passées dans la quiétude et la paix de chez Raphaël, j'ai l'impression d'arriver sur un champ de bataille. Maman chante à tue-tête dans la cuisine et quelqu'un (sans doute Roni) l'accompagne en marquant le rythme sur une casserole. Je porte lentement la main à ma tête, comme si c'était sur elle que Roni tapait.

— Qu'est-ce que tu veux, Valia ?

— Tu as déjà oublié ?

Ma sœur semble complètement indignée que je ne sois pas plus au courant de l'événement dramatique qui s'est joué dans sa vie aujourd'hui. Elle doit s'imaginer que je n'ai rien de mieux à faire que de la suivre à la trace à l'école.

— Quoi ? Tu as quitté Fred ? dis-je en espérant avoir deviné juste.

Fred, la nouvelle conquête de Valia, est un garçon prétentieux qui s'asperge d'au moins une tonne de parfum chaque matin et n'ouvre la bouche que pour énoncer des obscénités. Je ne comprends vraiment pas ce qu'elle lui trouve, pourtant elle s'accroche à lui et ne se lasse pas de le contempler. Lui, il l'appelle « chérie » et la traite de haut, sous prétexte qu'elle n'est qu'en troisième secondaire. Quelle horreur.

— Mais non, idiote ! Voyons, tu ne te souviens pas, vraiment, de ce qui est arrivé ce matin ?

Elle chuchote à toute vitesse et se retourne chaque seconde pour vérifier que personne n'approche. On se croirait dans un film d'espionnage. Et soudain ça me revient. Ah oui ! C'est vrai. Elle a raison : comment ai-je pu oublier ? J'étais au cours de physique, j'essayais tant bien que mal de me concentrer sur les explications embrouillées de M. Pescoa, quand la voix de la directrice a tout à coup retenti dans la classe, accompagnée des grésillements caractéristiques de l'interphone.

— *Désolée d'interrompre les classes. Les élèves suivants sont priés de se rendre immédiatement à la salle de réunion adjacente au secrétariat principal : Julien Prévost, Sébastien Grégoire, Flavie Saint-Pierre, Valia Chtcharanski, Lula Chang, Victor Bacquias et Jonathan Péloquin… Nous prions également tous les élèves de ne pas s'absenter de l'école. D'autres pourraient être appelés au cours de la matinée.*

Assis devant moi, Raphaël s'est retourné et m'a dévisagée en haussant les sourcils. J'ai secoué la tête. Je n'étais au courant de rien. Raphaël connaît la propension de ma sœur à mettre les pieds dans les plats. Victor Bacquias, un garçon silencieux, plutôt tranquille à qui je n'ai jamais vraiment parlé, s'est levé d'un air perdu. J'ai ressenti pour lui un élan de compassion que je n'accordais pas à Valia. Je sais trop bien de quoi elle est capable pour la plaindre profondément. En même temps, j'étais inquiète. J'avais vaguement entendu parler par ma sœur de la disparition d'une fille de troisième secondaire, et je me disais que cet événement était peut-être pour quelque chose dans la convocation de la directrice. Mais plus personne n'y a fait allusion au cours de la journée. J'ai donc oublié ma sœur.

Sauf qu'à présent, sa figure excitée n'annonce rien de bon.

— Qu'est-ce que tu as encore fait ?

— Ne m'accuse pas comme ça. Je n'ai rien fait du tout !

Elle ne me convainc pas. Sa voix fébrile et son sourire de fausse innocence me laissent présager le contraire.

— Yulia, j'ai été interrogée ! Par la police !

— Interrogée ? Mais pourquoi ?

Je chuchote moi aussi, à présent. L'affaire est trop grave. La voix de maman me parvient du salon et je sursaute comme une criminelle.

— Valia, qu'est-ce que tu fabriques dans l'entrée ? Ta sœur est rentrée ? Yulia, c'est toi ? Viens manger, pendant que c'est chaud !

— Euh, j'arrive, maman !

Je prends Valia par le bras et je la secoue un peu.

— Tu es impliquée dans la disparition de cette fille ? C'est ça ? Ou bien tu as fait une bêtise ? Tu… peux me le dire, je n'en parlerai pas à maman.

— Mais arrête de t'affoler, se récrie Valia en se dégageant de mon étreinte. Ce n'est pas moi! C'est Claire, tu sais, elle est dans ma classe. Son frère est en cinquième secondaire, tu le connais peut-être, quoique peut-être pas, étant donné le nombre de personnes que tu fréquentes...

— Oui, bon, ça suffit. Quel est le rapport entre toi et cette fille?

— Tu es quand même au courant qu'elle a disparu?

— Je sais, mais quoi? C'est une de tes amies? Tu sais où elle est, c'est ça? Explique-toi, à la fin!

— Je ne sais pas où elle est, enfin, pas exactement. Mais j'ai entendu des choses...

— Quoi? Tu les as rapportées aux policiers, j'espère.

— Oh, Yulia, tu es tellement coincée! Je n'en reviens pas!

Cette fois, elle ne retient même plus sa voix. Elle éclate carrément de rire. C'est étrange à quel point la moindre de mes observations, le moindre de mes gestes, fait de plus en plus rire ma sœur. Dans le fond, je sais bien qu'elle bluffe. Elle ne sait rien du tout. Elle a voulu faire son intéressante, comme d'habitude. Et ça a très bien marché, parce que personne à part moi ne s'en aperçoit, quand Valia bluffe. Je décide de l'ignorer. C'est la seule méthode à peu près efficace contre sa quête perpétuelle d'attention.

— Yulia?

Maman m'appelle avec plus d'insistance, cette fois, et j'ai une bonne excuse pour faire taire ma sœur.

— Tu ne dis rien aux parents, hein ? chuchote Valia d'un air complice.

Je n'ai aucune envie de jouer le jeu.

— Pourquoi est-ce que je les inquiéterais pour rien ? C'est *ta* spécialité, ça.

Et je vais rejoindre les autres, même si je profiterais bien d'un moment de répit. Nathan et Sacha se disputent à grands cris et maman ne semble pas s'en préoccuper, occupée qu'elle est à faire manger Gavi qui déteste les carottes cuites. Finalement, Meir clôt la discussion entre eux en lançant une patate bouillie à la tête de Nathan. Meir est toujours du côté de Sacha, dans les disputes. Je m'assois et je mange mes légumes froids en tentant d'esquiver la riposte de Nathan. Maman n'a rien vu, et je n'en peux plus de faire de la discipline tout le temps. Valia est joyeusement retournée à sa place et regarde tout le monde dans l'espoir qu'on l'interroge sur son expression énigmatique. Finalement, maman tourne la tête et la voit chipoter dans son assiette.

— Eh bien, Valia, tu ne finis pas ?

— Non, maman, je n'ai plus faim.

— Mais tu n'as presque rien mangé, Valiettina. Fais un petit effort, voyons…

— Oui, maman. Mais…

— Mais quoi ? Tu es bien silencieuse, ce soir.

Ça y est ! C'est l'heure de la grande scène.

— Oui… C'est que… j'ai eu une journée difficile.

Elle prend une mine traumatisée. À voir maman pâlir, du genre « un de mes poussins est en danger », on est partis pour un succès.

— Oh, ma colombe ! Raconte-moi !

Maman retire machinalement un morceau de patate qui s'est accroché à ses cheveux et se penche sur la table, ignorant héroïquement Gavi qui lui hurle dans les oreilles. Je ne veux pas en entendre davantage. Je soulève Gavi de sa chaise haute et je l'emporte à la cuisine pour la nettoyer. Elle se niche dans mon cou et je suis maculée de carottes.

— Gavi ! Comment tu fais pour être aussi sale ?

Bien sûr, il fallait s'y attendre, maman se rue à la cuisine moins de deux minutes plus tard.

— Dieu Tout-Puissant ! Quelle atrocité !

Maman se plaît à invoquer Dieu environ vingt fois par jour, pour les raisons les plus futiles comme pour les drames inimaginables.

— Des policiers à l'école ! Qui enlèvent ma Valia !

Ça ne rate pas. Gavi recommence à pleurer. Je tente de lui faire un nez-à-nez mais je suis déconcentrée par maman qui revient à la charge.

— Tu étais au courant, toi ? Et tu ne m'as rien dit !

— Maman, je t'assure qu'il n'y a rien à dire… Calme-toi, je vais t'ex…

Mais elle ne me laisse pas le temps de lui fournir une explication. Elle est déchaînée. Elle doit imaginer Valia, menottée et emmenée au poste de police, avec toute l'école qui la regarde comme une bête curieuse.

— Ah, je le savais bien, qu'on n'est en sécurité nulle part ! Je l'avais bien dit à ton père ! Elle n'a rien fait, rien à se reprocher, et ils l'emmènent, toute seule dans une pièce, ils la maltraitent peut-être, oh, qui sait ce qu'ils lui ont fait… Pauvre, pauvre chérie, je comprends qu'elle n'ait rien mangé, ça n'a aucun sens, et puis qu'est-ce qu'ils lui voulaient, hein ? Tu peux me le dire, toi ? Et d'abord pourquoi n'as-tu pas essayé de les en empêcher ?

— Maman ! J'étais en cours !

— Mais tu as bien dû le savoir, que la police était dans l'école ? Tu as bien dû le savoir que ta propre sœur se faisait arrêter !

— Elle ne s'est pas fait arrêter ! C'est ce qu'elle t'a dit ?

— Non, enfin, pas exactement, elle n'a pas voulu tout me dire, elle est bouleversée… Je t'avais demandé de veiller sur elle ! Et qu'est-ce que j'apprends ? Tu n'as pas levé le petit doigt pour la défendre !

Évidemment. J'aurais dû me douter que je ne me sortirais pas indemne de cette affaire. Les petites mises en scène de Valia sont peut-être théoriquement inoffensives, mais la faute retombe toujours sur moi, d'une façon ou d'une autre. Je décide que la vérité – ou du moins, ce que j'en sais – doit sortir.

— C'est ridicule, dis-je de ma voix la plus calme et raisonnable. Il y a une fille de sa classe qui a disparu. Disparu, Maman. Ça, c'est grave ! Ils ont appelé quelques élèves pour les interroger. Il y a même un garçon de ma classe qui y est allé. Franchement ! Valia ne sait rien, en plus. Elle jouait, c'est tout. Et pendant ce temps-là, il y a une fille qui a disparu et la police la cherche, et personne ne sait où elle est ! Je ne sais pas, c'est peut-être ça qui est important !

J'ai crié, sans même m'en rendre compte. Maman s'assoit, abasourdie. Elle prend Gavi sur ses genoux et lui caresse les cheveux pour essayer de la calmer.

— Oh! Oh... répète-t-elle en fixant le crâne de ma petite sœur. Mon Dieu, la pauvre enfant!

Cette fois son « mon Dieu » a des accents de douceur.

— Et... et tu es certaine que ta sœur ne sait rien? balbutie maman d'une voix blanche.

— Presque, oui. Mais avec Valia, on ne sait jamais.

Le téléphone sonne et son bruit strident fait sursauter maman.

— Yulia, c'est pour toi!

Je fonce dans l'entrée, heureuse d'être débarrassée un instant de maman et de ses drames perpétuels. Je prends le combiné que me tend Nathan (encore couvert de pomme de terre) et je m'enferme dans le placard à manteaux.

— Yulia? Devine quoi?

La voix de Min Thu est tout aussi excitée que celle de Valia tout à l'heure, et ça me fait peur.

— Quoi?

— C'est Maxime! Il m'a invitée au bal!

— Je croyais que tu y allais avec Kevin?

— Kevin m'énerve. Il sait à peine parler, et il drague toutes les autres filles. En plus, je n'ai absolument pas envie de me farcir ses imbéciles d'amis toute la soirée.

— Tu ne peux quand même pas laisser tomber Kevin!

— Et pourquoi pas ? Bien sûr que je peux ! Il y a plein de monde qui ont fait ça ! Et puis, je peux toujours lui proposer quelqu'un en remplacement…

— Ah oui, et qui ça ?

— Toi, ma vieille ! Je me trompe, ou tu n'as toujours pas de *date* ?

Date, je déteste ce mot. C'est tellement feint et réducteur. Comme la comédie que vient de nous jouer Valia. Comme si c'était ça l'important ! Avoir une *date* pour montrer à l'école entière qu'un garçon nous a choisie, nous, parce qu'on est un peu plus belle ou un peu plus drôle ou juste un peu moins intimidante que les autres. Et si moi je m'en fiche de cette mascarade ? Si je m'en fiche de ne pas être dans le palmarès, si je m'en fiche de ne pas être choisie ? Si pour moi l'important, c'est… Mais je ne sais même pas ce que c'est. Bien faire, je suppose, être parfaite. Peut-être que c'est ce qui est important. Et si c'est le cas, ça non plus je n'y arrive pas. Je voudrais dire tout ça à Min Thu, exploser pour qu'elle s'en rende compte, mais je sens confusément que ça ne servirait à rien. Elle ne me comprendrait pas. Elle me trouverait folle. Et moi, je ne sais même pas pourquoi ce simple mot me plonge dans des états pareils. Je suis tout à coup prise du désir violent de me confier, de parler à quelqu'un qui me connaît vraiment. Mais ils sont loin mes amis d'autrefois. Min Thu pouffe de rire, mais le pire, c'est qu'elle était à moitié sérieuse, j'en suis sûre.

— Moi, j'y vais toute seule. À moins que Michel ne décide de déserter pour venir ici.

— Ouh, j'en connais un qui serait jaloux, si ça arrivait !

Cette fois, je tends l'oreille. Je me doute bien de qui elle parle, mais je veux qu'elle me donne son avis. Malgré sa frivolité agaçante, Min Thu possède un flair infaillible pour ce genre de choses.

— Comment ça ?

— Yulia ! Ne me dis pas que tu n'as pas remarqué ?

— Mais… quoi ?

— Enfin ! Réveille-toi ! Tu es vraiment aveugle, ma pauvre fille ! Raphaël est fou amoureux de toi, c'est clair comme de l'eau de roche !

C'est donc vrai, alors. Je ressens un petit frisson descendre le long de ma colonne vertébrale, il est bien là, même si j'essaie de l'ignorer. Je feins de rire et j'oriente à nouveau la conversation sur le nouveau cavalier de Min Thu. Elle me dit de ne pas m'inquiéter, qu'elle va ménager Kevin et lui annoncer la mauvaise nouvelle le plus doucement possible. Je n'ai plus envie de parler. Je suis écœurée de ces velléités. J'ai surtout peur que Min Thu se rende compte de quelque chose (mais de quoi ? Je ne sais même pas). Je prends congé de Min Thu, le cœur et l'esprit débordants de pensées contradictoires. Raphaël est amoureux de moi. Raphaël est fou amoureux de moi. Tout le monde est au courant. Et maintenant, moi aussi je le sais. Je ne peux pas nier, je n'ai pas le droit de nier que moi non plus, je ne suis pas indifférente à lui. Bon, tant pis, personne ne saura. Ce n'est encore qu'un secret dans mon cœur, ça n'existe pas, pas concrètement. Ce n'est rien. C'est Michel, qui est vrai pour moi. Alors pourquoi cette fébrilité court-elle en moi, du bout de mes cheveux jusqu'à mes orteils ?

CHAPITRE SEPT

★ Aujourd'hui vendredi matin, je me réveille en sursaut, sans trop savoir pourquoi. J'ai fait un rêve bizarre, je crois, même s'il ne m'en revient que des bribes. J'étais au party de Jonathan Péloquin, mais au lieu d'être dans une maison ou un appartement ordinaire, c'était dans un grand manoir lugubre, et Raphaël était avec moi et me parlait en hébreu, sa voix était complètement différente, je lui répondais en russe et Valia était là aussi, mais en regardant de plus près je me rendais compte qu'il s'agissait en fait de Baba, qui me disait en français : « Qu'est-ce que tu fais ici ? Va t'occuper de tes enfants ! », et une ribambelle de bébés apparaissaient et se mettent à piailler, je ne sais pas quoi faire d'eux, je veux les prendre dans mes bras et ils me bavent dessus, et finalement ils se transforment en chats sauvages. Alors le rêve s'efface et je me dresse dans mon lit en sursaut. Une chose est sûre, c'est que je n'irai pas chez Jonathan. À côté de moi, Valia dort encore profondément, les cheveux artistiquement étalés sur sa taie d'oreiller. Même endormie elle conserve cette grâce et cette élégance toutes spéciales que je n'aurai jamais. Il n'est que six heures, pourtant je n'ai plus du tout envie de dormir. Je suis excitée comme une puce, sans doute à cause des révélations que Min Thu m'a faites hier soir. Je descends à pas de loup à la cuisine, pour que les craquements du parquet ne réveillent aucun des petits. Mais ce n'était pas la peine de prendre tant de précautions : maman et papa sont en bas, tous les deux habillés, et papa est sur le pas de la porte, prêt à partir.

— Yulia ? Que fais-tu debout si tôt ? Remonte vite te coucher, murmure papa.

— Non, c'est bien qu'elle soit levée. Va travailler, Daniel, et laisse-moi lui expliquer.

— M'expliquer quoi ?

— Toi, va m'attendre dans la cuisine, m'intime maman d'une voix sévère alors que je n'ai absolument rien à me reprocher.

Papa s'avance et me dépose un baiser sur le front avant de me pousser doucement vers la cuisine.

— À plus tard, ma belle fille.

Il a un air grave et triste que je n'arrive pas à interpréter. Et puis, comment se fait-il qu'ils soient tous les deux levés à six heures du matin ? Maman arbore une mine de zombie, on dirait qu'elle n'a pas dormi de la nuit. Mon excitation du réveil est retombée comme une crêpe molle. J'entends des chuchotements furieux qui proviennent de l'entrée et je tends l'oreille, mais bientôt la porte claque et les pas légers de souris de maman se rapprochent. Elle s'assoit en face de moi, les secondes s'égrènent et elle continue de se taire. J'écoute le silence qui plane comme un ange dans la cuisine et un peu partout dans la maison. C'est tellement rare, ici. Et ça ne durera pas. Bientôt, Gavi va se réveiller, en gazouillant ou en pleurant, selon son humeur, suivie de près par Assia et Roni.

— Yulia… commence maman d'une voix hésitante.

Je l'interromps :

— C'est Baba ?

Peut-être est-ce le fait d'avoir rêvé d'elle, mais je suis persuadée que Baba a encore fait des siennes.

— Oui, confirme maman. Je pars à Tel-Aviv cet après-midi.

— Quoi ? C'est si sérieux que ça ?

— Mme Markov m'a dit qu'elle a demandé à me voir. Si c'est vrai, ça ne peut qu'être sérieux. Et puis, les Markov ont été extraordinaires avec elle, je ne veux pas trop leur en demander, je dois m'occuper de ma mère. Ils ont vraiment été gentils, tu sais, ils ont même réussi à me trouver un billet de dernière minute, pas trop cher…

Elle ne cesse de me faire l'éloge des Markov alors qu'ils sont le cadet de mes soucis, et des siens très probablement.

— Mais maman, quand est-ce que tu prévoyais de nous le dire ?

Je dis « nous », ce qui signifie surtout « me ». Je me vois mal jouer le rôle de mère en même temps qu'étudier et réussir mes examens.

— Ça s'est décidé très vite. Hier soir, en fait, et je peux te dire que tous les détails se sont réglés cette nuit. Nous n'avons pas trouvé d'autre solution, conclut maman d'un ton accablé.

À l'entendre, on ne dirait pas qu'elle est elle-même enchantée de devoir retourner d'urgence en Israël. Pauvre maman. Et pauvre Baba, aussi, seule à l'hôpital avec pour unique famille des voisins compatissants. L'espèce de panique égoïste que j'éprouvais il y a un instant à l'idée de me retrouver à la charge d'une famille de sept enfants — six, si j'exclus Valia qui, je l'espère, est assez grande pour se débrouiller — disparaît aussitôt quand je m'imagine les retrouvailles glacées qui auront lieu entre maman et Baba. Comme je n'aimerais pas être à leur place! Comme la mienne me paraît douce en comparaison!

— Et… tu ne sais pas combien de temps tu pars?

— Non. J'ai pris un billet sans date de retour fixe. Mon Dieu, comme c'est compliqué, tout ça!

— Ne t'inquiète pas, maman. Je t'aiderai.

— Ah, je sais bien que tu m'aideras, petite! Mais tu ne peux pas tout faire…

Elle me fixe en secouant la tête, un éclair de tendresse dans les yeux. C'est bien rare, de le voir apparaître.

— Je dois te demander un service.

Dans la bouche de maman, ces mots équivalent à une véritable supplication.

— Voilà, reprend maman, si tu pouvais, seulement aujourd'hui… Rester à la maison avec tes frères et sœurs… Ça me dépannerait beaucoup. J'ai plein de courses à faire avant mon départ, et pas beaucoup de temps… Mon avion est à quatre heures. Papa est parti plus tôt à son travail pour pouvoir m'accompagner à l'aéroport. Il ne pouvait absolument pas se libérer. Quant à ta tante, elle travaille le vendredi.

— D'accord.

Il ne servirait à rien de protester que ce matin j'ai le dernier laboratoire de chimie de l'année et un devoir à rendre en anglais. Déjà, à Tel-Aviv, j'ai souvent manqué l'école pour garder les petits.

— Mais… maman, les examens sont dans moins d'une semaine. Et tu ne sais pas quand tu reviens exactement. Je ne peux pas rester tous les jours à la maison.

C'est un fait que ma mère ne prend pas l'école au sérieux. Elle n'irait pourtant quand même pas jusqu'à m'obliger à reprendre ma cinquième secondaire.

— Je sais, Goloubouchka. Tante Zena et papa vont s'organiser pour prendre des jours de congé. Mais il faudra peut-être que toi et ta sœur restiez ici de temps en temps. Tu t'arrangeras avec Valia ?

Quand nous sommes arrivés en janvier, tante Zena a proposé à maman d'inscrire Roni, Assia et Gavi dans une garderie, mais maman s'y est catégoriquement refusée.

— Je ne confierai pas à quelqu'un d'autre la tâche d'élever mes propres enfants ! s'était-elle indignée devant ma pauvre tante qui ne cherchait qu'à rendre service.

N'empêche que je regrette maintenant son entêtement. Maman ne m'appelle presque jamais Goloubouchka.

— Où tu vas habiter, à Tel-Aviv ? On n'a plus la maison.

— Je vais aller chez les Markov, d'abord. Et si ça se prolonge trop, je demanderai aux Bernard. Je ne... me sens pas capable d'habiter chez elle.

J'ai un petit pincement au cœur en pensant aux Bernard. À Valérie et surtout à Michel. Il a pris la forme d'un souvenir, dans mon esprit, sans même que j'en sois consciente. Comme s'il faisait partie d'une histoire qui n'est pas à moi, mais à une autre fille que je ne connais pas.

— Et puis, comme l'école se termine bientôt, ce sera moins compliqué, Dieu merci, continue maman d'une voix songeuse.

— Tu es inquiète ?

— Pour Baba ? Oui. Un peu. Oui. Je ne sais pas trop à quoi m'attendre, à vrai dire. Elle... Je n'arrive pas à croire qu'elle soit malade... Et qu'elle ait voulu me voir ? Peut-être qu'elle a des choses à me dire... Je suis la seule personne qui lui reste... Non, je m'en fais surtout pour vous. Pour toi, papa, les petits... Je n'aime pas laisser Gavi. Elle est si petite... Et Valia ! Mon Dieu, qu'est-ce qu'on va bien pouvoir faire de Valia ? Elle ne sait faire que des bêtises...

— Je vais m'occuper d'elle. Et de Gavi aussi. Tu peux partir tranquille.

— Je préférerais ne pas partir du tout. Bon, alors j'appelle à l'école pour les avertir que tu seras absente ?

— Oh, ce ne sera pas nécessaire.

La direction n'est pas tellement sévère en ce qui concerne les absences, et je n'ai pas manqué une seule journée d'école depuis mon arrivée à Cœur-Vaillant.

Il est maintenant six heures et demie et j'entends déjà du bruit provenir d'en haut. Assia apparaît au fond du couloir, pieds nus et en larmes.

— J'ai fait pipi au lit! braille-t-elle en se jetant dans mes bras, toute mouillée et glissante.

— Assia! Tu n'as pas honte, s'exclame maman en la remettant par terre. Une grande fille comme toi! Viens te laver immédiatement.

Je demande à Valia d'aller porter mon devoir d'anglais à la deuxième période, et elle fait toute une comédie en disant que ça la mettra en retard, mais finalement elle accepte quand elle se rend compte que Fred est dans mon cours d'anglais. Un peu plus tard, tout le monde se précipite à l'école, et je reste avec Roni, Assia, Gavi et maman. Maman me parle à peine, elle prépare sa valise et met de côté les choses à emporter, elle chantonne entre ses dents de vieilles ballades russes qu'elle affectionne, mais je vois que le cœur n'y est pas.

— Maman?

— Oui, ma Yulia?

— Tu vas me manquer, maman.

— Oh, Yulia! Pardonne-moi…

— De quoi?

— De t'oublier, parfois.

Alors je comprends et je lui pardonne. Et je ressens soudain pour ma mère une bouffée d'une tendresse que je croyais éteinte, ou tout au moins endormie. Mais non, elle est bien là, intacte comme quand j'étais petite, et je prie pour qu'elle ne meure pas.

Et maman part. Les petits et moi sortons sur le perron pour faire adieu de la main à la voiture qui s'éloigne. Maman nous a serrés dans ses bras, a souri courageusement et est vite montée dans la voiture, sans se retourner. Roni et Assia oublient aussitôt leur tristesse déchirante à l'instant même où la voiture tourne le coin, et se lancent dans un jeu compliqué qui finira inévitablement mal, dans les cris, les plaintes et les pleurs désespérés. Pendant ce temps, assise sur le balcon pour faire mes exercices de physique tout en surveillant les petits du coin de l'œil, je pense à ce que tous les autres, les élèves normaux, sont occupés à faire à l'école. Si je me suis toujours sentie comme déplacée, comme une marginale dans cet endroit nouveau où tout me crie que je suis étrangère, aujourd'hui, c'est encore pire. J'aimerais tant faire partie du monde ! Un monde plus grand que celui de ma famille. Plus grand que celui des mathématiques. Parfois je me demande ce que le Destin veut de moi. S'il y a un destin. Évidemment, je ne parle pas du destin comme l'entendent les gens en général, c'est-à-dire une espèce de karma qui pèse sur notre vie et nous empêche de choisir quoi que ce soit, une malédiction qui fait de nous des marionnettes sans liberté ni responsabilité. Non, je parle du Destin comme d'une « force », même si je n'aime pas ce mot, une force plus grande que moi, ou plutôt une réalité cachée derrière la réalité elle-même. Cachée, pas très bien pour qu'on puisse en entrapercevoir les reflets de temps en temps, derrière un problème de mathématiques ou une tristesse sans cause particulière qui pourtant ne part pas, derrière la beauté de ma sœur et la frivolité de Min Thu et le prétendu amour que me porte Raphaël. Une réalité cachée, un sens caché, un chemin broussailleux où poussent d'autres fleurs que celles que je connais, que celles que je crois connaître. Et je pense à Michel, et la pensée que Michel est au loin et qu'il fait son service militaire, loin si loin de moi, qu'il accomplit seul son service militaire, seul tout seul, peut-être sans même jamais toucher du bout des ongles ce que moi je crois toucher timidement quand je m'approche de la réponse d'un problème de maths, eh bien cette pensée déchire quelque chose dans mon cœur. Est-ce que j'aime Michel ? Est-ce que j'ai jamais aimé Michel ? Ou ai-je seulement pris sa main sans regarder ni devant ni derrière, parce qu'il me la tendait ? Qui est-il, lui, au fond ? Est-ce que je me suis posé cette question, ne serait-ce qu'une fois, une fois qui pourrait racheter toutes les autres où je me suis contentée d'accepter sa présence à mes côtés, comme on accepte celle d'un bel arbre qui nous donne de l'ombre ou d'un oiseau qui chante joliment ? Ah, je ne sais pas. Je n'en sais rien. Il m'a écrit une lettre, au mois de février, pour la Saint-Valentin. Je ne lui ai pas répondu, j'étais en plein dans les inscriptions du cégep, je ne pensais pas à lui. Il faisait partie du « passé », et moi j'étais à fond dans le présent. Quand je me retrouve seule comme maintenant, seule c'est-à-dire sans possibilité de faire semblant, d'être autre chose que ce que je suis, alors je vois qu'au fond il n'y a ni passé ni présent. Ni passé ni présent, non, mais seulement une masse compacte de désirs et de besoins qui changent de nom au fil des jours, qui changent bien de nom et peut-être même de forme, mais jamais de nature.

Quand maman appelle à la maison le dimanche matin, elle est épuisée. Elle est chez les Markov et ne veut pas parler trop longtemps, mais je la retiens un peu car je sens qu'elle en a besoin.

— J'ai été directement à l'hôpital, m'informe-t-elle sans faire d'autres commentaires. Je devine que ça n'a pas dû être facile. Comment ça va, à la maison?

— Tout va bien. Euh, et Baba?

J'entends maman retenir son souffle.

— Elle… elle ne va pas bien. Yulia, je… je ne sais pas si j'y arriverai.

— Qu'est-ce que tu veux dire?

— Elle est très malade, et… je suis toute seule ici, à essayer de faire quelque chose pour elle. Je ne sais même pas si elle avait envie de me voir… Ah, je ne devrais pas t'en parler…

— Mais non, ce n'est pas grave…

Maman laisse passer quelques secondes de silence.

— Elle ne me parle pas! chuchote-t-elle, probablement pour éviter que les Markov ne l'entendent. Elle… Je ne comprends pas ce qu'elle veut. Excuse-moi, Yulia, ma chérie. Tu ne devrais pas entendre ça. Passe-moi plutôt ton père.

— Non, attends.

Soudain, une idée folle me traverse l'esprit. Je pense à Baba, qui s'est toujours montrée si froide avec moi. Avec moi plus qu'avec tous les autres enfants. Je pense à maman, toute seule là-bas à l'affronter. Et à la maison, aux petits que je dois garder. Je pense à mes « responsabilités ». Et si ma responsabilité, à ce moment précis, était d'être aux côtés de ma mère ? Puisqu'elle-même est seule avec la sienne.

— Maman, dis-je précipitamment. Je vais venir te rejoindre.

— Comment ? Mais tu es folle ! L'école n'est pas finie, pourtant ? Toi qui y attaches tant d'importance…

Quelque chose dans le son de sa voix me pousse à continuer.

— C'est vrai, mais seulement quelques jours, une semaine pas plus. Je peux m'arranger avec mes profs.

— Yulia, et les petits ? Je préférerais que tu restes à la maison pour t'en occuper. Non, vraiment, ça n'a aucun sens. Écoute, passe-moi ton père, maintenant. Je n'ai pas beaucoup de temps.

Sa voix tremblote un peu. Les examens sont dans une semaine exactement, mais… c'est vrai, je pourrais facilement manquer les derniers jours de cours. La plupart des profs nous servent du réchauffé, de la révision express, et ceux qui essaient tant bien que mal de nous livrer le reste de la matière jusqu'à la fin du programme nous ont avoué qu'elle ne serait pas dans l'examen. Donc, logiquement, il n'y aurait pas de problème. Et pour les petits, Valia pourrait s'en occuper, si je la pousse un peu. Pendant que papa parle à maman, je réfléchis à toute vitesse. Peut-être que je devrais désobéir à maman, cette fois. Je ne sais pas ce que je pourrais faire pour Baba... Mais pour maman, oui. Je devrais la rejoindre et braver la tempête avec elle. Plus j'y pense, plus cette folie me semble la chose la plus raisonnable à faire. J'en parlerai à papa. S'il est assez inquiet, il m'autorisera à partir.

Ma décision est prise, de toute façon.

CHAPITRE HUIT

★ L'avion a du retard, et j'imagine qu'en ce moment même maman est en train de paniquer, de s'imaginer un terrible accident en pleine mer. J'ai emporté au moins deux tonnes de livres, de cahiers et de photocopies de notes de cours. Mme Lagacé m'a très gentiment établi un plan de révision, avec tous les sujets et les détails importants surlignés en différentes couleurs... Elle a dit en me le donnant :

— J'imagine que tu peux très bien t'en tirer sans ça, mais... c'est une manière de te montrer à quel point j'ai été heureuse de t'avoir dans ma classe, ma belle Yulia.

J'ai été touchée, plus que je ne l'aurais cru. Et Min Thu m'a fait promettre de revenir à temps pour le bal. Elle se fichait complètement des examens. Je reviens la veille, a priori. Enfin, si tout va comme il faut. Je ne reste donc pas plus de dix jours. Tout s'est passé tellement vite que je ne me rends pas bien compte que je suis partie depuis douze heures, que j'ai fait escale à Londres et que j'ai pris ensuite un avion direct pour Tel-Aviv. C'est la première fois que je voyage toute seule, sans avoir à m'occuper de quelqu'un d'autre que de moi-même. Il y a quelques bébés près de moi, et l'un d'eux (ou plusieurs, je ne sais pas, je suis trop gênée pour me retourner même si la plupart de mes compagnons de voyage le font toutes les deux minutes en prenant un air de plus en plus irrité) n'arrête pas de pleurer. J'ai tout le temps l'impression que c'est « l'un des miens », comme dit maman, et je suis envahie d'un vague sentiment de culpabilité parce que je n'arrive pas à le calmer, avant de m'apercevoir que je n'ai rien à voir là-dedans. Je suis tellement nerveuse à l'idée de retourner là-bas ! Comme si émigrer à Montréal n'avait été qu'une simple parenthèse dans ma vie, ma vie réelle, comme si ces presque six mois n'existaient pas et que je devais retrouver à Tel-Aviv la Yulia d'avant, celle qui est restée la même depuis sa naissance. Sauf que cette fois, on dirait que j'essaie d'enfiler un vêtement trop petit. Je n'ai pas réussi à dormir. Mon cœur bat de plus en plus vite, à mesure que l'atterrissage approche. Maman a dit qu'elle viendrait probablement me chercher à l'aéroport, si elle a le temps. Ce qui signifie qu'elle enverra un délégué à sa place.

Par le hublot, je contemple la terre rouge et aride, loin au-dessous de moi, et même de si loin elle semble fumer de chaleur. Je traverse la douane sans trop de problèmes, en butant un peu sur mon hébreu rouillé. Dans la salle d'attente, il y a Mme Bernard qui patiente.

— Yulia, ma chérie ! Quel plaisir de te voir… même dans de telles circonstances.

— Bonjour, madame Bernard. Comment allez-vous ?

Je lui adresse la parole en français, presque sans accent. Je suis assez fière de mes progrès.

— Mais elle parle français, s'exclame Mme Bernard dans cette langue en me serrant dans ses bras. Alors, dis-moi… Combien de temps restes-tu ici ? Une bonne partie de l'été, j'espère ! Michel sera tellement content de te voir ! Si tu savais comme il s'ennuie de toi… Oh, je sais bien qu'il n'a pas beaucoup le temps de t'envoyer de ses nouvelles, avec son service, mais… chaque fois qu'il vient il me parle de toi.

Mme Bernard m'entraîne dehors vers sa voiture sans cesser de bavarder. Elle est bien gentille, mais une fois qu'elle ouvre la bouche, impossible de l'arrêter. J'en ai pour au moins une demi-heure de monologue continu.

— Mais c'est vrai que tu as dû être pas mal occupée, n'est-ce pas, à t'adapter à ton nouvel environnement, à te faire des nouveaux amis, apprendre la langue, prendre soin de tes frères et sœurs… Valérie me disait l'autre jour que tu ne répondais pas trop souvent à ses e-mails, alors moi je lui ai répondu : « Écoute Valou, c'est normal, pense que si toi aussi tu partais tu finirais par t'éloigner un peu de tes anciennes amies, il n'y a pas de quoi en faire un scandale, non ? »

Elle attend mon approbation.

— Euh… oui, enfin, non, je ne sais pas, je n'ai jamais voulu m'éloigner de Valérie, je l'aime toujours autant et…

— Oh, j'en suis sûre ! Et elle le sait aussi, va, mais tu la connais… Elle a toujours peur de tout…

— Et sinon, est-ce qu'elle va bien ?

Je n'écoute qu'à moitié la réponse interminable de Mme Bernard à propos de l'état mental de sa fille, de celui de son mari et de son chat, pour me concentrer sur le paysage qui défile à ma fenêtre. Il fait très chaud, mon jean colle à ma peau et je sens des gouttes de sueur dégouliner le long de mon dos. C'est assez désagréable, mais Mme Bernard a baissé toutes les vitres et le vent me souffle son air chaud en plein visage. Ce que j'aime ici, c'est que la chaleur n'est pas moite et poisseuse, mais plutôt sèche. Donc à l'ombre, on peut se rafraîchir facilement. La voiture file dans le vent jusque dans mon quartier, ma conductrice parle toujours, le soleil d'après-midi éclaire la route toute craquelée, je suis contente d'être de retour chez nous. Je me risque à couper Mme Bernard au beau milieu d'une phrase :

— Euh, pardon, mais… je vais habiter chez vous ?

— Oui ! On t'a fait un beau lit dans la chambre de Valérie. Elle est tellement heureuse, elle ne tient plus en place de te revoir… Ta mère est chez les Markov, mais ils n'avaient plus de place. Combien de temps m'as-tu dit que tu restais ici, déjà ?

— Pas plus d'une semaine. Je dois passer mes examens de fin d'année, vous comprenez.

— Oh ! Ce n'est pas beaucoup, dis donc… Je pensais que vous auriez le temps de vous voir, Michel et toi, sa prochaine permission est dans dix jours… Il va être très déçu, quand il saura qu'il t'a manquée de si peu… Mais je comprends, bien sûr, tu n'es pas en vacances ici, c'est pour soigner ta grand-mère…

Elle me donne une petite tape amicale et compatissante sur la cuisse. Mais mon esprit est ailleurs, à présent.

— Euh… vous avez dit à Michel que je venais ?

— Mais, comment… tu ne l'as pas averti toi-même ?

— Euh, je… eh bien, je pensais lui faire la surprise…

— Oh, ma pauvre chérie ! J'ai vendu la mèche, alors. Mais de toute manière ça ne fait rien, étant donné que tu ne restes pas…

Je viens de mentir à Mme Bernard. Ce n'est pas vrai que je comptais faire la surprise de ma venue à Michel. En fait, je ne sais même pas si j'avais l'intention qu'il le sache. Je me sens tellement coupable de l'avoir abandonné ces derniers mois. Je ne veux pas… Je ne veux pas qu'il se rende compte de quelque chose. « Mais de quoi, au juste ? » me chuchote mon esprit en pleine confusion. Je ne suis même plus certaine de l'aimer, depuis quelques semaines. Je ne suis même plus certaine de le connaître encore !

La voiture sillonne les rues tranquilles de mon quartier et finit par s'arrêter devant la maison des Bernard, à quelques intersections de mon ancienne maison.

— Vous savez qui occupe notre maison, maintenant ?

— Oui, c'est un jeune couple qui l'a achetée, avec une petite fille. Ils sont assez sympathiques, ma foi, bien que la femme soit un peu… enfin, elle n'est pas très liante…

Dans le discours de Mme Bernard, les gens qui ne sont pas « très liants » sont ceux qui répugnent à entrer dans de longues discussions au coin de la rue ou qui n'acceptent pas systématiquement toutes ses propositions de venir faire un brin de causette sur sa véranda, à n'importe quel moment du jour ou de la nuit. Au moment même où je mets le pied hors de la voiture, Valérie jaillit de la maison et se jette dans mes bras, manquant de me faire tomber à la renverse.

— Yulia ! Je n'arrive pas à croire que c'est toi ! Je suis tellement, tellement contente de te voir ! Viens dans ma chambre…

Et sans me laisser le temps d'ouvrir la bouche, elle me prend par le bras, empoigne ma valise de l'autre main et m'entraîne à l'intérieur. Ça me fait tout bizarre d'entrer à nouveau ici. Le chat des Bernard vient me frôler et me renifle comme s'il ne me reconnaissait pas, comme si j'étais une inconnue. J'ai l'impression qu'il y a dix ans que je suis partie, alors que ça ne fait que six mois, même pas. J'entre dans la chambre de Valérie, toute propre et garnie d'un petit lit de camp à côté du sien.

— Alors… soupire-t-elle en s'assoyant par terre, sur le tapis, comme nous aimions le faire avant. Je sais que ce ne sont pas des circonstances particulièrement joyeuses qui t'amènent, mais… Ça me fait tellement du bien de te voir ! Raconte-moi tout !

— Mais… qu'est-ce que tu veux que je te raconte ?

— Je ne sais pas, moi ! Tout ce qui est arrivé au Canada… Les gens que tu as rencontrés, les choses que tu as faites… Allez, Yulia, ça fait six mois que je ne t'ai pas vue ! Et on ne s'est pas parlé depuis le mois de mars, au moins !

— Je sais. Excuse-moi, Valou. C'est ma faute, j'aurais dû t'appeler plus souvent, te répondre…

— Oui, je me suis demandé ce qui t'arrivait. Et puis, ben, je me suis fait une raison. Mais quand même… tu devais être pas mal occupée, là-bas. Michel aussi, il ne recevait pas vraiment de tes nouvelles…

Je m'empresse de changer de sujet.

— Et sinon, quoi de neuf pour toi ?

— Ici ? Bof, rien de particulier. Moi, je vois les mêmes profs, les mêmes amis, les mêmes voisins… Ah si, Jérémie m'a demandé de sortir avec lui !

— Jérémie ? Non ! Tu veux dire le bouclé, là, dans notre cours d'histoire ?

— Oui ! Tu te souviens, il y a toujours eu un petit malaise entre nous… Et puis… attends, c'était… au mois d'avril, je crois, il m'a invitée au cinéma, comme ça… Je pensais que c'était un truc avec tout le monde, mais non, juste lui et moi !

— Et alors ?

— Maintenant, bon, je ne dirais pas que c'est officiel, mais… ça s'en vient, je dirais. Oh, et c'est un secret, hein ? Pas un mot à mes parents, ils ne sont au courant de rien.

— Et Michel ? Est-ce qu'il le sait ?

— Michel, je lui en ai touché un mot ou deux… Mais il est dans le Golan, il ne rentre à la maison qu'une fois toutes les deux semaines, et encore, parfois c'est une fois par mois. Je ne le vois presque jamais. C'est à peine s'il téléphone à la maison de temps en temps.

— Et… il trouve ça comment, le service ?

— Enfin, Yulia ! Vous ne vous parlez jamais, ou quoi ? Tu devrais être plus au courant que moi, non ?

Valérie me regarde en secouant doucement la tête. Elle n'est pas exactement furieuse. Elle n'est jamais furieuse. Mais je la sens déçue, et c'est bien pire. Je sens qu'elle se demande si c'est bien la même Yulia, celle qu'elle connaît, qui se tient en face d'elle. Et je serais bien en peine de lui donner une réponse.

— Non… il te l'a dit, n'est-ce pas ? Il t'a dit qu'on ne se parlait plus beaucoup…

— Eh bien, je ne sais pas… Il ne me parle pas tellement de toi… J'ai toujours besoin de lui tirer les vers du nez, quand il vient ici…

Voilà qui contredit l'information que m'a transmise Mme Bernard… Valérie me fixe d'un air étrange. Sa joie du début semble avoir complètement disparu.

— Yulia… est-ce que vous êtes encore ensemble, toi et mon frère ?

— Ouui… Oui, bien sûr ! m'exclamé-je avec légèrement plus d'assurance. Seulement, c'était tellement difficile de m'adapter, je devais étudier deux fois plus que les autres, et je devais garder les bébés, tout ça, donc on s'est un petit peu éloignés, mais pas de quoi s'affoler… Mais parle-moi plutôt de Jérémie ! Il est comment ?

Les yeux de Valérie se remettent à briller et elle me raconte l'histoire romanesque qu'elle est en train de vivre avec un de mes anciens camarades de classe. Puis, elle commence à faire des plans pour la semaine, à dresser la liste de tous les amis que je dois absolument voir… Je suis découragée d'avance. Heureusement, je me doute que je passerai mes journées à l'hôpital, ce qui par ailleurs n'est pas une perspective plus réjouissante. Mais je ne me sens pas plus excitée que ça à l'idée de revoir tous ces gens qui autrefois signifiaient tant pour moi.

Valérie et moi bavardons pendant une heure, et je commence tranquillement à me sentir moins mal à l'aise. Elle, elle n'a pas changé d'une miette, c'est déjà ça. Un peu avant le souper, maman m'appelle depuis chez les Markov.

— Ça va, Goloubouchka ? Je n'ai pas pu venir te chercher, j'étais coincée avec ta grand-mère… Écoute, Mme Markov t'invite à manger, je sais que ce n'est pas très pratique d'être séparées, mais… c'est un arrangement de dernière minute. Et puis ça va te faire du bien de retrouver Valérie.

Je me prépare donc à partir chez les Markov, après avoir persuadé Mme Bernard que mon départ n'avait rien à voir avec un quelconque désintérêt pour sa cuisine. Maman et Mme Markov me serrent fort dans leurs bras quand j'arrive, et même M. Markov m'embrasse sur les deux joues. Pendant le repas, maman tente de m'expliquer l'état de Baba tout en restant extrêmement vague. Elle a les yeux cernés et ne semble pas très en forme. J'insiste pour aller visiter Baba le lendemain, ainsi maman pourra prendre un peu de repos. Je ne crois pas que Baba sera très heureuse de me voir, mais tant pis. Maman a l'air soulagée. Elle dit qu'elle en profitera pour mettre de l'ordre dans les affaires de sa mère. Les Markov vont écouter les informations du soir et maman et moi restons faire la vaisselle dans la cuisine.

— Maman… dis-je à voix basse pour qu'elle seule m'entende. Qu'est-ce qu'elle a, Baba, exactement ?

— Un cancer du poumon. Enfin, c'est ce que son médecin pense. Mais comme elle refuse de se faire traiter… on ne saura jamais vraiment.

— Comment ça, elle refuse de se faire traiter ?

— Oh, je ne sais pas ! Elle dit qu'elle est trop vieille, qu'on la laisse mourir en paix, ce genre d'âneries, quoi ! N'empêche que son état empire de jour en jour, et…

— Mais… elle ne pourrait pas simplement rentrer chez elle ?

— Non. Elle a besoin de soins constants. Ils préfèrent la garder à l'hôpital, le temps que ça durera…

— Et… est-ce qu'elle te parle au moins, maintenant ?

— Oui, enfin, un peu… On ne s'est pas encore disputées, c'est déjà ça. Je me demande…

Maman se tait et soupire lourdement. Tout en elle semble lourd, à présent. Ses membres paraissent pesants et elle traîne un peu les pieds, comme s'ils étaient attachés à un boulet.

— Tu as apporté des devoirs, j'espère, des choses à étudier ? Pour tes examens ?

Je hoche la tête. Ce n'est pas le genre de maman de se préoccuper de l'école, mais je joue le jeu.

— La directrice m'a donné une autorisation spéciale, elle comprend que c'était une urgence. La plupart des profs disent que je ne devrais pas avoir de problème… donc tout ira bien, j'imagine.

— C'est bien, c'est bien. Tu as raison de travailler aussi fort. Moi, je n'ai pas assez travaillé à l'école… Non, c'est toi qui as raison.

Maman sourit. Elle ne me parle jamais de sa jeunesse. Je sais que c'est parce qu'elle n'a pas été tellement heureuse. Je connais des bribes de son histoire, glanées au hasard des conversations entre papa et elle, ou en lisant entre les lignes certains commentaires de Baba… Sa sœur Tania, par exemple, et la perte de son père… Maman fait de son mieux pour nous aimer.

Le lendemain matin, M. Bernard me dépose à l'hôpital en allant travailler. Je monte les marches avec un peu d'appréhension. Je connais bien l'hôpital : c'est là que maman a accouché de Nathan, de Sacha, de Meir, de Roni, d'Assia et de Gavi. Valia, j'étais trop petite pour m'en souvenir. Je ne suis donc habituée qu'à l'aile de la maternité, même si j'ai parfois profité de mes visites à maman pour explorer le bâtiment. Le numéro de chambre de Baba en main, je me présente à l'accueil, où une femme à l'allure rébarbative me bombarde de questions avant de daigner m'indiquer le chemin. Je parviens à trouver le bon service, puis le bon couloir… Et trop tôt à mon goût je me retrouve devant la porte de la chambre de Baba. Mme Bernard m'a permis de cueillir quelques fleurs dans son jardin, et je les tiens bien serrées contre moi, comme un bouclier. Je retiens mon souffle, je cogne à la porte, puis j'entre. La chambre est toute blanche, et la lumière entre à flots par les rideaux ouverts. Baba est à moitié assise dans un grand lit blanc, les yeux fermés. Évidemment, elle a réussi à obtenir une chambre individuelle.

— Je n'ai pas dit « entrez », dit Baba en hébreu de sa voix snob, avec un accent russe encore plus prononcé que celui de maman.

— C'est moi, Baba.

Et Baba ouvre les yeux brusquement. Elle me regarde, surprise, bien que son visage change à peine d'expression.

— Yulia… Que me vaut l'honneur de ta visite ?

— Maman m'a appelée. Elle m'a demandé de venir.

Je lui donne les fleurs, ou plutôt je tends le bras dans sa direction en espérant que Baba prendra mon bouquet. Mais elle n'en fait rien. Elle fixe ma main comme si c'était un corps étranger qui venait soudain la déranger dans son équilibre. Elle se tait. Alors je parle :

— Tiens. C'est pour toi.

— Qu'est-ce que tu veux que je fasse avec ça ?

— Je ne sais pas. Veux-tu que je les mette dans un vase ?

— Si ça t'amuse.

Je m'affaire dans la chambre à chercher un vase, et j'en trouve finalement un minuscule dans la salle de bains. Je le rince, je le remplis d'eau, je place les fleurs dedans, je pose le vase près de la fenêtre, j'arrange le bouquet dans une disposition vaguement artistique. Je sens les yeux de Baba qui suivent tous mes faits et gestes. Maintenant je dois me retourner. Je tente de sourire, mais mes lèvres se figent dans un rictus qui n'a rien d'amical. Le regard dur de Baba ne me quitte pas. Comme ce nom lui sied mal !

— Eh bien ! Viens donc t'asseoir, puisque tu es là.

J'obéis. Je m'assois sur le bord du fauteuil des visiteurs. Je m'efforce de la regarder en face. Peut-être Baba a-t-elle pitié de moi, car elle se remet à parler.

— Tu es donc venue ici pour ta mère.

C'est plus une constatation qu'une question. Je hausse les épaules.

— Je ne sais pas pourquoi je suis venue. Elle me l'a demandé, alors je suis venue, c'est tout. Je termine bientôt l'école…

— Tu fais toujours tout ce qu'on te demande, n'est-ce pas, Yulia ? m'interrompt ma grand-mère d'un ton moqueur.

Mais je ne sais pas, en fait, si son ton est vraiment moqueur. Sa voix est enrouée, cassée, et quoiqu'elle conserve les traces de la femme méprisante que j'ai connue, c'est surtout la voix d'une vieille femme que j'entends à présent. Une femme vieille et malade, qui n'a rien à voir avec moi. Nous ne sommes pas de la même famille.

— Je ne sais pas, Baba.

— Tu ne sais pas, tu ne sais pas… Sais-tu donc quelque chose, au moins ?

— Je sais ce que j'aime.

— C'est déjà ça, j'imagine. Et qu'est-ce que tu aimes ?

— Les maths.

La bouche de Baba s'étire dans un sourire sardonique. C'est pourtant la vérité, ce que j'ai répondu. J'aime les maths. Tout est beau, tout est clair dans les maths. Tout est réel, et vrai. Ce n'est pas comme dans la vie. Ce n'est pas comme avec les gens.

— Les maths ! continue Baba. Tu es bien la fille de ton père… Tu n'iras pas loin avec ça…

— Et toi, Baba, qu'est-ce que tu aimes ?

— Moi ? Je ne suis qu'une vieille femme. Je n'aime rien. Il n'y a rien dans ce monde qui mérite d'être aimé. Même pas ses propres enfants.

Les mots terribles sortent de sa gorge en une rafale saccadée, et si en ce moment ses yeux sont plantés dans les miens, je sais que ce n'est pas moi qu'elle regarde. Son énorme bague de fiançailles brille à sa main gauche. C'est une opale. Une fois, elle a déclaré qu'elle la donnerait à la plus belle de ses petites-filles, quand elle serait grande. Je suis déjà hors course. La preuve, Baba semble revenir lentement au présent et fixe son attention sur mon visage.

— Tu n'es pas belle, constate-t-elle d'un air de dépit. Je pensais que, peut-être, grandir te rendrait plus belle. Mais non !

Elle a raison, mais ça me fait mal quand même de l'écouter m'humilier sans broncher. Michel m'a toujours dit qu'il me trouvait « mignonne ». Jamais belle. Devant mes amies, ma famille, devant moi-même, j'ai toujours prétendu l'indifférence, mais j'aurais tant voulu ressembler un peu plus à Valia ! Ses traits fins et réguliers, ses cheveux invraisemblables, ses yeux tantôt de biche, tantôt de braise… Je ne suis qu'une fille ordinaire. Et Baba me le rappelle cruellement. Une fois encore, pour ne pas perdre la face devant elle, je fais semblant de rien.

— Qu'est-ce que ça peut te faire, que je ne sois pas belle ?

Maman me qualifierait probablement d'insolente, si elle m'entendait. Elle me gronderait probablement. Mais je ne peux pas m'en empêcher. Et puis, si elle se permet de me parler aussi durement, je ne vois pas pourquoi je devrais me retenir.

— Tu as raison. Ça ne me fait rien.

Baba tourne sa bague sur son doigt. C'est un tic qu'elle a depuis toujours. Et soudain je ressens une violente poussée de haine contre cette femme. Cette femme qui n'a jamais vécu que pour elle-même, je la hais soudain, et c'est tellement clair, tellement fort, que j'ai peur de ne pas parvenir à me maîtriser. Je me lève, je ne peux plus rester assise. Je me mets à parcourir la chambre d'un bout à l'autre, je n'essaie même plus de l'étouffer, cette haine.

— Tu peux partir, tu sais, dit Baba d'un ton tranquille. Qui t'oblige à rester ici ?

— Pourquoi tu es comme ça ? Pourquoi tu es méchante ? Qu'est-ce que je t'ai fait pour que tu me parles comme ça ? Tu es malade, tu vas mourir, et la seule chose que tu fais quand j'arrive ici, c'est me dire que je suis laide, et que je n'aurais pas dû venir !

J'entends des bruits de pas dans le couloir, et je m'empresse de me taire. Une infirmière passe la tête par la porte et me fixe d'un air soupçonneux. J'espère qu'elle ne parle pas russe.

— Tout va bien, ici ?

— Oui, oui, merci. Excusez-moi pour le bruit.

L'infirmière referme doucement la porte. Je me retourne vers Baba, cette vieille femme qui n'aime rien en ce monde, et je la hais encore plus d'avoir fait naître ce sentiment atroce en moi.

— Pourquoi es-tu venue ? demande-t-elle encore. Pour régler des comptes avec moi ?

— Je ne sais pas, je… Je voulais comprendre.

— Comprendre, quoi donc ? Comprendre pourquoi je suis un monstre ?

— Je ne sais pas.

Je me sens si lasse et triste, et un inexplicable dégoût de moi-même et de la vie m'a empli le cœur, pendant que je parlais, pendant que je me révoltais contre elle. Seigneur, faites que je ne finisse pas comme elle. Faites que je ne vive pas comme elle.

— Que connais-tu de la vie ? reprend Baba.

Et tout à coup elle a perdu de sa superbe. Tout à coup le monstre de froideur à demi couché et diminué s'anime un peu. Elle n'en est pas moins terrifiante.

— Que connais-tu donc des désirs, de l'amour, des pertes et de la souffrance ? Tu n'as que seize ans ! Et tu te crois en droit de me faire la leçon ? Ma pauvre fille, mais tu n'es pas si idiote, pourtant. Non, tu dis vrai sur un point : je vais mourir.

— Baba…

— Tu as bien raison, pauvre fille. Je vais mourir, et personne ne me pleurera. Ce sera la paix, pour tout le monde. Pour ta mère, surtout. Oui, ce sera la paix…

— Alors, c'est ce que tu veux ? C'est tout ?

— Oui. Un jour, peut-être, si tu ne perds pas ta vie en élevant une marmaille ou en te jetant dans les bras des hommes, tu comprendras. Mais je ne me fais pas d'illusions, va. Ils sont rares, les êtres qui ne m'ont pas déçue… Je ne vois pas pourquoi tu serais différente. Non vraiment, tout ce qu'on a à attendre de cette vie, c'est bien le repos éternel. La paix, enfin…

— …

— Tu vois ? Tu n'as rien à dire. Il n'y a rien que tu peux pour moi. Personne…

— Mais ma mère est là… Elle est venue pour toi, non ?

— Ne prends pas sa défense, veux-tu ? Ta mère n'est pas mieux que les autres. Elle n'est pas mieux que moi.

— Je, je ne… Mais j'aime ma mère !

— Tu crois que tu l'aimes. Mais au fond, on n'aime jamais vraiment qui que ce soit d'autre que soi-même. Reste dans le mensonge, si tu veux ! C'est ainsi que vit la grande majorité du monde… Mais ne te tiens pas devant moi comme la justice offensée. Je n'y crois pas. Oh, tu n'es pas une mauvaise actrice, ne t'en fais pas ! Tu pourras en tromper d'autres que moi…

Elle sourit, mais ses yeux qui continuent à me fixer sont morts. J'ai la chance de n'avoir jamais vu un mort, même dans ce pays dévasté par la violence. Et pourtant en contemplant ma grand-mère, j'ai l'impression fugitive qu'il y a pire que la fin brutale d'une vie. Il y a la lente agonie d'un être qui voit s'écrouler autour de lui, un à un, les désirs de son cœur. Ses désirs d'aimer et d'être aimé, ses désirs de beauté, et de joie et de bonheur. Qu'y a-t-il donc de pire que cette agonie ? Cette agonie, qui selon Baba est le lot de tous. Je ramasse mon sac par terre et je marche vers la porte sans me retourner. Je ne me retourne pas une seule fois.

CHAPITRE NEUF

★ Je rentre à pied chez les Bernard, même si ça risque de me prendre des heures. J'avais prévu de prendre l'autobus, mais la perspective de me retrouver coincée entre deux inconnus dans un véhicule bondé est trop décourageante. Au début, je marche tellement vite que je dois m'arrêter à un coin de rue pour reprendre mon souffle. Je suis consciente d'avoir l'air bizarre. Mais je marche, je continue, et je décide de passer par le bord de la mer. J'ai envie de voir quelque chose de beau, après toute cette haine. Je ne sais pas si la mer sera assez belle pour moi. Peut-être que c'est dans mon cœur que tout est laid, en ce moment. J'atteins enfin, épuisée, une de mes plages préférées, et je me promène longtemps, mais pas moyen d'être seule et tranquille. C'est presque l'été, et des milliers de jeunes bruyants et d'hurluberlus qui n'ont rien de mieux à faire se sont donné rendez-vous au même endroit que moi. Rien n'est calme, dans cette ville. Je me mets presque à regretter le silence de l'hiver à

Montréal, mes promenades qui apaisaient toujours un peu mon âme quand je rentrais à la maison. Je sens que cette fois-ci je ne serai pas apaisée. J'erre encore quelque temps sans but ni pensées précises, avant de me décider à retourner chez les Bernard. Valérie sera peut-être déjà revenue de l'école. Je regrette d'être ici. Je ne comprends pas pourquoi je suis venue.

Quand je pousse la porte de la maison, échevelée et toute en sueur, Mme Bernard pousse un petit cri de surprise.

— Yulia, que t'est-il arrivé ? Rien de grave, j'espère ?

— Non, je suis juste rentrée de l'hôpital à pied. Il y avait trop de monde dans l'autobus.

— Tu n'as pas vu ta mère, n'est-ce pas ? Elle m'a dit qu'elle partait te rejoindre au début de l'après-midi.

— Oh, j'ai dû la manquer. Euh, est-ce que je peux prendre une douche ? Je me sens un peu collante.

— Mais bien sûr, ma chérie ! Tu n'as pas besoin de demander la permission, voyons ! En effet, il fait bien chaud, depuis plusieurs jours…

Je m'éclipse avant qu'elle ne commence à m'informer des conditions météorologiques de tout le pays depuis trois semaines. Après m'être changée, je m'assois sur le tapis de la chambre de Valérie et tente de réviser ma chimie (je n'ai strictement rien fait depuis mon départ). Mes rêveries me ramènent constamment à Raphaël. Qu'est-ce qu'il fabrique, en ce moment ? Est-ce qu'il pense à moi ? À Montréal, ce doit être… la fin de la matinée. Comme tout le monde, j'ai reçu l'horaire des examens, mais je l'ai laissé là-bas. Je me disais que je n'en aurais pas besoin, mais j'aurais tout de même voulu savoir quel examen il passerait aujourd'hui. Je lui aurais souhaité bonne chance en pensée. Raphaël n'a pas vraiment besoin de chance, et il est rarement stressé. J'ai seulement envie de me sentir proche de lui, de connecter mon cerveau au sien un instant. Je ne sais pas si je suis amoureuse de lui. Je ne sais même plus ce que ça veut dire être amoureuse de quelqu'un. Avant, dans ma tête, c'était simple : tu aimes un garçon, tu te maries avec lui et tu fondes une famille. Comme mes parents ont fait. Mais si ce n'était pas lui, le bon ? Si c'était quelqu'un d'autre ? Et comment déterminer si c'est vraiment de l'amour, c'est-à-dire un amour incon-ditionnel et éternel, ou juste un penchant, une atti-rance qui s'éteint un jour ? Est-ce que ma mère aime mon père ? Ou bien l'aime-t-elle comme moi j'aime Michel, comme moi j'aime Raphaël ? Je n'ai pas le droit d'être amoureuse de Raphaël. Ce serait trop injuste. Je me trouve mauvaise, méchante, même si je n'ai rien fait. Rien fait encore.

Quelques minutes plus tard j'entends claquer la porte d'entrée et les pas vifs de Valérie qui monte vers sa chambre.

— Salut ! Qu'est-ce que tu fais ?

— J'essaie d'étudier. Sans beaucoup de succès jusqu'à maintenant.

— Tu as vu ta grand-mère ?

— Oui. Ce matin.

— Et alors ?

— Alors… rien. Elle est très malade. Elle ne voulait pas me voir.

— Tu vas y retourner ?

— Je ne sais pas.

Valérie semble s'apercevoir que je n'ai pas particulièrement envie d'en parler, car elle change de sujet en prétendant s'intéresser à mon livre de chimie. Elle veut savoir si elle comprendrait la matière en français. Je lui donne une leçon accélérée, et pendant un petit bout de temps j'oublie Baba et Michel et Raphaël. Peu après, Mme Bernard nous appelle pour le souper. Étrangement, elle ne pose aucune question sur Baba, elle qui est si indiscrète en temps normal. Je mange en silence pendant que Mme Bernard discute de l'irresponsabilité du gouvernement avec son mari, qui se contente de hocher la tête et de grogner aux endroits stratégiques du discours de sa femme. La sonnerie du téléphone la coupe en plein milieu d'une phrase, mais il en faut plus pour la démonter.

— Ah, ce doit être Michel, c'est son heure habituelle !

Elle se lève joyeusement pour aller répondre. Valérie me lance un regard en coin, chargé de sous-entendus que je ne peux pas lire. Mon cœur commence à s'emballer, j'essaie de me comporter normalement, de continuer à manger. Il fallait bien que ça arrive. Il fallait bien qu'il finisse par téléphoner. Il ne sait pas, lui, il n'est au courant de rien. Il croit que tout va bien.

— Valérie, viens parler à ton frère, lance Mme Bernard du salon.

Valérie se lève non sans me jeter un dernier regard.

— Je lui ai dit que tu étais là, babille Mme Bernard avec un clin d'œil quand elle se rassoit. Il était très content !

Je me dépêche de finir mon assiette, puis je vais la porter à la cuisine et je commence à faire la vaisselle. Je dois absolument occuper mes mains. Valérie finit par m'appeler. Elle me tend le combiné sans commentaire.

— Allô ?

— Yulia ? demande une voix lointaine qui ressemble à celle de Michel.

— Oui, c'est moi. C'est Michel ? dis-je stupidement comme si ça pouvait être quelqu'un d'autre.

— Yulia…

Le reste de sa phrase se perd dans des grésillements incompréhensibles.

— Attends… je t'entends mal…

— J'ai dit : je suis content de te parler…

— Oui… Moi aussi.

— Yulia, je… je…

Incroyable à quel point la communication est mauvaise. Mais bon, tant mieux, ça finira plus vite.

— Quoi ? Parle plus fort, je ne comprends rien.

— Je… j'aimerais te voir, et te prendre dans mes bras… Je m'ennuie tellement, je suis plus capable d'être ici… C'est horrible, ici, je voudrais te voir, te serrer fort…

Sa voix se brise, et il se met à pleurer. Mon Dieu. Je n'ai jamais, jamais entendu pleurer Michel de toute ma vie. Je ne pensais pas qu'il était seulement capable de pleurer. Pourtant, ce sont bien des sanglots qui résonnent dans mon oreille. Des sanglots de tristesse, de désespoir, ou de quelque chose de bien trop loin de moi. Je reste là, muette comme une pierre et ma main tremble encore plus.

— Michel... qu'est-ce qui se passe ? Pourquoi... ne pleure pas, je t'en prie !

— C'est la mort, ici, tous les jours... Je déteste ça, je déteste ça, j'ai peur, je veux rentrer à la maison, qu'on se marie et qu'on ait des petits enfants, et...

Il parle vite, d'un ton étranglé, il mélange le français et l'hébreu et je m'y perds un peu, mais je saisis au moins l'essentiel. Je fais de mon mieux pour lui parler doucement, pour le calmer. Je n'aurais jamais imaginé qu'il pouvait être si triste. Michel n'est pas quelqu'un de triste, ni de réfléchi. Je ne sais pas, c'est juste Michel, qui pense que la vie est belle et pas compliquée. Un peu mon contraire, en bref. C'est un choc de le surprendre ainsi.

— Michel, Michel, attends. Raconte-moi. Dis-moi ce qui se passe. De quoi... qu'est-ce qui te fait peur ?

— Je ne sais pas, je... je me sens tout seul, entouré de cons qui comprennent rien... Ils parlent, ils parlent ils arrêtent jamais de parler et ils nous humilient tout le temps, et il y a rien, tu comprends ? Et hier, hier il est... il est arrivé quelque chose...

— Quoi ? Quoi, qu'est-ce qui est arrivé ?

— Oh, Yulia, j'ai telle… ment honte, jj… je voulais pas, je te jure, c'était pas mon idée, mais j'étais là, j'ai pas pu… C'est arrivé tellement vite, et j…

— Mais quoi ? De quoi tu parles ?

Je commence à paniquer, je l'entends respirer dans le combiné, une respiration courte et saccadée, et sa voix, sa voix brisée… Il y a un long silence, je ne sais plus quoi dire, j'ai peur de l'interroger, j'ai peur, aussi, qu'il me raconte, ou qu'il se taise pour toujours.

— Michel…

— Oh, Yulia, pourquoi tu ne viens pas ? Viens me visiter dans le Golan, mon amour, moi je peux pas rentrer cette semaine, je dois rester et je sais… je sais pas si je vais être capable…

— Je ne peux pas, moi, je ne peux pas venir ! Mais qu'est-ce qui est arrivé ? Dis-moi…

Nouveaux grésillements. Je crois entendre encore quelques sanglots, à moins que ce ne soit le brouillard sur la ligne.

— J… j'aimerais vraiment que tu viennes. Tu es sûre que tu ne peux pas ? S'il te plaît…

— C'est pas possible, Michel ! Raconte-moi maintenant, je suis là, je t'écoute, j'ai tout mon temps…

— Je… je… Écoute, je dois y aller, il y a une file derrière moi… Je t'aime, d'accord ?

— Oui… moi aussi je t'aime. On se reparle bientôt ?

Il a déjà raccroché. Le timbre creux de la ligne coupée me vrille les tympans, mais je ne peux me résoudre à déposer le combiné. La voix de Michel, si lointaine, ne se tait pas. Comment a-t-elle pu se taire un jour ? Comment mon esprit a-t-il pu la faire taire ? Je pense à lui, seul dans le Golan… Loin de tout, de sa famille et de ses amis. Michel n'est pas quelqu'un de très expansif, il parle rarement de lui-même et de ses sentiments, presque jamais en fait. Je ne comprends pas ce qui lui est arrivé. Ça me fait froid dans le dos, d'y penser. Je regarde autour de moi, la douce et froide obscurité du salon, les rideaux à moitié tirés et les dizaines de livres qui encombrent tous les recoins de cette maison. Je ne veux pas pleurer. Je ne dois pas pleurer – sur moi et sur mon abandon ni sur lui ou sur ce qui est arrivé hier. Car je ne saurai pas ce qui est arrivé hier.

Je retourne à la cuisine et je continue la vaisselle, avec la voix de Mme Bernard en bruit de fond, qui interroge Valérie sur nos projets pour la soirée, sans pour autant l'écouter une minute. Valérie vient me rejoindre peu après, elle pose sa main sur mon bras, avec sollicitude.

— Alors ?

— Il ne va pas bien.

Je ne peux pas lui mentir.

— Je sais.

— Il n'a pas voulu me dire pourquoi. Il voulait que je vienne. Valou, je ne peux pas !

— Je sais.

— Tu étais au courant, qu'il était comme ça ?

— Je te l'ai dit, il n'en parle jamais. Jamais, jamais.

— Mais ce soir, qu'est-ce qu'il…

Valérie secoue la tête, ses longues boucles brunes dansent sur ses épaules.

— Il n'a pas arrêté de demander à te parler. On n'a pas tellement eu de conversation. Il répondait par monosyllabes à mes questions, il disait : «Passe-moi Yulia, passe-moi Yulia…» Mais tout le monde le sait : le Golan, c'est le pire endroit. Papa n'arrête pas de lui dire de demander de se faire muter, mais tu le connais, il est têtu comme une mule. Il a décidé qu'il irait là-bas, il y reste !

Je sens des larmes me piquer les yeux, mais je m'empresse de les retenir.

— Ah, c'est compliqué !

— Bon, coupe Valérie d'un ton décidé. Pour te changer les idées, on sort ce soir. Jérémie, Adi, Hanan, Daniella, toi et moi.

— Tu es folle ? J'ai zéro envie de sortir, moi !

— Allez ! Ils ont super hâte de te revoir… Ils vont être déçus si tu ne viens pas.

— Mais je déteste sortir ! Tu le sais, non ?

— On n'ira pas loin, je te le promets ! Et on ne rentrera pas trop tard non plus. Allez, Yulia, juste aujourd'hui…

— Pas question ! Tu peux y aller si tu veux, je reste ici.

Mais Valérie réussit à me convaincre, comme d'habitude. Ou plutôt à me traîner de force dans son sillage, chez Adi, pour revoir des gens auxquels je n'ai plus rien à dire. La soirée passe à une lenteur qui défie toute logique. Je fais semblant de m'intéresser aux conversations alors que tout du long je ne pense qu'à Michel. Quand nous rentrons enfin chez les Bernard, il est passé minuit et je n'ai toujours pas parlé à maman. Je me demande si Baba lui a raconté notre conversation. Sans doute pas. Je me couche dans mon petit lit de camp, à côté de Valérie dont la respiration lourde et régulière indique qu'elle s'est endormie instantanément. C'est loin d'être mon cas. Je me tourne et me retourne entre les draps, sans parvenir à une position confortable. Que fait Michel, là, maintenant ? Est-ce qu'il dort, ou est-ce que lui aussi tire-bouchonne ses draps en cherchant un souffle d'air, un souffle de vent qui le bercerait un peu, tout doucement ? Là-bas, dans ce camp militaire, dans cette autre vie dont je ne sais rien ? Je repense à ma visite à Baba, ma visite désastreuse. Je ne veux pas… j'ai si peur de devenir comme elle. Mais comment faire, pour suivre mon cœur, et ne pas le trahir ?

Le lendemain matin, je me rends de bonne heure chez les Markov. Je veux voir maman avant qu'elle parte pour l'hôpital et lui dire que je ne suis pas capable de retourner là-bas. Je ne suis pas capable de parler à Baba. Mais quand Mme Markov m'ouvre la porte et que j'aperçois le visage de maman derrière elle, je sais que je n'aurai rien besoin de dire, finalement.

— Baba est morte cette nuit, souffle maman.

Et c'est fini.

CHAPITRE DIX

★ Maman et moi retournons à Montréal tout de suite après l'enterrement. Tout s'est passé très vite, et je n'ai pas eu le temps de reparler à Michel. Il n'y avait presque personne à l'enterrement, à part les Markov, les Bernard sans Michel, maman et moi. Il a quand même fallu régler plein de problèmes et signer des tonnes de papiers, donc nous finissons par ne rentrer que la veille du bal, comme prévu au départ. Et avec tout ça, j'ai à peine étudié pour mes examens de reprise, qui auront lieu dans un futur très incertain, mais néanmoins assez rapproché. La maison est dans un état indescriptible quand nous arrivons. Tante Zena est là, pourtant, elle essaie tant bien que mal de faire régner l'ordre, mais elle n'est pas habituée. Je me sens tellement confuse — et je crois que maman aussi — que je suis incapable de me frayer un chemin à travers la masse grouillante des enfants qui crient et courent partout. Nous restons là, nos valises toujours à la main, et j'ignore ce que maman pense jusqu'à ce qu'elle supplie papa d'une voix faible :

— Fais-les taire, Daniel, je ne peux pas supporter ça…

Maman, qui est si contente d'ordinaire de retrouver ses enfants. Et moi aussi, mais pas maintenant. Papa réussit à disperser tout le monde et je monte dans ma chambre, où heureusement il n'y a aucune trace de Valia. Je m'étends sur mon lit, la tête vide et le cœur creux. Je n'ai pas le courage de défaire ma valise, ni celui d'affronter les questions incessantes que les petits ne manqueront pas de me poser. Le décalage horaire m'étourdit, je ferme les yeux et une douce torpeur commence à m'envahir quand on frappe à la porte. C'était inévitable.

— Oui ? Qui est là ?

Assia apparaît sur le seuil, son éternelle poupée Barbie à la main. Ses cheveux sont tout emmêlés, on voit qu'elle ne doit pas s'être coiffée depuis des jours.

— Yulia ?

— Qu'est-ce qu'il y a, chérie ?

— Pourquoi tu me parles pas ?

— Je suis fatiguée.

— Tante Zena, elle est pas aussi gentille que toi. Et Valia non plus. Est-ce que tu vas rester ici ?

— Mais bien sûr. Je reste avec toi.

— Pour toujours ?

— Euh, oui. Ne t'inquiète pas.

— La prochaine fois que tu pars, tu vas m'emmener avec toi ?

— D'accord. C'est promis.

Assia se hisse sur le lit et se niche contre moi. Je sens sa peau et sa douce odeur de petite fille qui joue beaucoup dehors et ça me réconforte un peu. Je ferme les yeux à nouveau, mais les petits doigts d'Assia se posent sur mon visage et me forcent à les rouvrir.

— Yulia ?

— Oui ?

— Il faut que tu viennes voir dans le salon. Il y a quelque chose pour toi là-bas.

— Mmm, ça ne peut pas attendre un peu ? Je voudrais dormir…

— Non, tu dois venir maintenant ! Sinon tante Zena va partir et elle sera triste parce que tu ne l'auras pas vu, alors il faut que tu viennes maintenant avant qu'elle s'en va !

— Bon, j'ai compris.

Je descends dans le salon où tante Zena m'attend. Elle se cache les mains derrière le dos quand j'entre dans la pièce. Tout est calme. Ils ont dû envoyer les petits jouer dehors, et j'entends les voix de papa et de maman dans la cuisine qui discutent probablement de Baba. Depuis des jours je n'ai pas vu maman sourire, et encore moins rire. Elle est complètement éteinte et n'ouvre la bouche que pour dire des banalités, même à moi. Le visage de tante Zena s'éclaire quand elle me voit, et elle esquisse un petit sourire énigmatique.

— Alors, Yulia, pas trop nerveuse ?

— Non, pourquoi ?

— Mais pour le bal, pardi ! C'est demain, quand même.

— Oui, c'est vrai. En fait, je m'inquiète surtout pour mes examens.

— Ah, mais c'est important, le bal ! Dis-moi, tu as un cavalier ?

— Non, je n'ai, euh, pas tellement eu le temps de m'occuper de ça.

— Ce n'est pas grave, ce n'est pas grave, parce que… tiens-toi bien : j'ai terminé de coudre ta robe pendant que ta maman et toi étiez en Israël !

— Oh ! Tu sais coudre, toi aussi ?

— Eh bien, ta mère m'a donné le patron et m'a un peu expliqué comment faire… Elle voulait tellement te faire la surprise ! Donc voilà… J'espère que tu l'aimeras… C'est un cadeau de la part de ta maman et de moi.

Je ne savais pas trop à quoi m'attendre… mais sûrement pas à ça. Tante Zena me tend une robe magnifique, un vrai déguisement de princesse qui me faisait rêver quand j'étais petite. Elle est bleu pâle, avec des volants en satin blanc, des cordons pour lacer dans le dos et de fines bretelles blanches. Le tissu coule jusqu'à terre comme une rivière bleue. Je n'arrive pas à croire que je vais porter une tenue aussi magique, dans l'agora de l'école secondaire Cœur-Vaillant à Montréal, au xxie siècle. C'est une robe qui appartient à un autre monde, le monde des rêves de maman.

— Oh, Zena ! Elle… je ne peux pas porter ça…

— Mais essaie-la, avant de dire des choses pareilles ! Tu peux être sûre que c'est une robe unique. Personne n'aura la même.

— C'est seulement que… le thème… le thème du bal… c'est les années soixante ! On est loin du compte, là !

J'éclate de rire, en m'imaginant arriver au beau milieu de la soirée, une espèce de Cendrillon encore plus perdue, au beau milieu de toutes ces filles en minijupes et en tuniques hippies et de ces gars en… en quoi, donc ? Je ne connais vraiment rien aux années soixante, et visiblement ma mère non plus. Mais Zena a raison : je ne passerai pas inaperçue demain. Je préfère ne pas l'essayer tout de suite. Je me sens trop barbouillée par l'avion et le long voyage. Je sais d'avance qu'elle m'ira : maman connaît mes mesures par cœur. Assia est tout excitée, elle me tourne autour et tente de m'arracher la robe des mains.

— Je veux la mettre ! S'il te plaît, donne-la-moi !

— Non, non, Assia, dit Zena en riant elle aussi. Tu es trop petite, c'est à Yulia !

J'embrasse ma tante de bon cœur. Maman, je la remercierai plus tard, quand elle ira mieux.

En fin de soirée, alors que Valia s'est enfermée dans notre chambre pour « étudier » son dernier examen final – une composition de français, pour laquelle je serais bien en peine de l'aider, car Valia me devance largement dans la maîtrise de cette langue –, je téléphone à Min Thu.

— Yulia ! Ça y est, tu es revenue ?

— Oui, je suis chez moi.

— Alors tu viens au bal, c'est sûr ?

— Mais oui ! Comment étaient les examens ?

— Oh, un désastre, mais on s'en fiche ! L'important, c'est que le secondaire est fini et que demain, c'est le bal !

J'ai du mal à partager son euphorie. Après tout, moi je n'ai fait que six mois dans cette école. J'y serais bien restée un peu plus longtemps. Au lieu de quoi, l'an prochain je m'en vais dans une nouvelle école, encore plus grosse que celle que je quitte. Heureusement, Min Thu sera avec moi. Et Raphaël aussi. Ça, je le regrette. J'aurais dû y penser plus tôt, et choisir un autre cégep que le sien. C'est trop tard, à présent. Mais Min Thu a raison sur un point : le bal est demain, et je devrais peut-être essayer de m'y intéresser un peu si je ne veux pas que ce soit un ratage complet. Elle ne me pose aucune question sur mon séjour en Israël, ce qui est absolument typique d'elle, pourtant je sens qu'il y a quelque chose qui cloche.

— Tu y vas toujours avec Maxime ?

— Non… Je ne sais pas, je crois que Kevin et lui se sont parlé, et quand il a su que j'avais laissé tomber Kevin, il a décidé que c'était trop déloyal de sortir avec moi, ou un truc comme ça… Bref, par solidarité, il a décidé d'inviter une autre fille, à la place !

— N'importe quoi…

— Je sais… Mais je crois que la vraie raison, c'est que Vanessa s'est retrouvée libre et qu'elle lui a « subtilement » laissé entendre qu'elle était intéressée…

— Oh non ! Alors tu y vas toute seule ?

— Oui… enfin, ce n'est pas trop grave. Si tu veux bien partir avec moi…

— Mais oui ! On y va ensemble ! C'est parfait…

— Oui, en plus plein de filles vont faire ça, hein ?

— Évidemment! Je suis sûre que tu n'auras aucun mal à te faire inviter à danser!

La voix de Min Thu reprend son timbre habituel et elle me parle un peu des examens, de Raphaël qui, selon ses propres termes, avait l'air triste aujourd'hui, pendant l'examen d'anglais enrichi.

— Est-ce que tu lui as parlé?

— Non… Je n'ai pas eu le temps, je viens d'arriver. Ma grand-mère est morte, tu sais.

— Oh! Oh, Yulia, je suis désolée… C'est vraiment poche… Mais écoute, pourquoi tu ne viendrais pas chez moi, demain? On pourrait se préparer ensemble.

— Mmm, je ne sais pas… Ma mère voudra sans doute que je garde mes frères et sœurs. Elle a beaucoup de choses à faire, et Valia doit aller à l'école parce qu'il lui reste un examen à passer.

— Franchement, tu vas perdre ta journée à garder le jour de ton bal?

— Euh, oui. Ce n'est quand même pas comme si c'était mon mariage!

Min Thu rit, nous parlons encore un moment, puis je prétexte la fatigue du décalage horaire pour raccrocher. Je sens comme une vague de panique qui gronde au creux de mon ventre. J'ai peur de revoir Raphaël. Il n'y a qu'une semaine que je suis partie, mais on dirait que tout a changé. Ma confusion est la même, pourtant. Mais c'est la voix de Michel que j'entends dans ma tête, maintenant, et le son de cette voix me déchire le cœur.

Ce matin, maman doit aller rencontrer la maîtresse de Nathan à cause de je ne sais quel problème qu'il aurait provoqué, et je suis la seule en « vacances ». Enfin, mes cours sont finis, mais j'aurai des examens à rattraper. Je reste donc à la maison avec les petits qui sont plus heureux que jamais. Ils se sont ennuyés de moi et de maman, surtout Assia je pense. Les autres sont déjà grands. Je me lave les cheveux et je les laisse sécher sur mes épaules. Bientôt l'humidité les fera frisotter, mais tant pis. Je demanderai à maman de me les lisser pour le bal. À vrai dire, je n'ai pas dit toute la vérité à Min Thu. J'aurais très bien pu aller me préparer chez elle, maman ne m'a pas explicitement demandé de rester ici. Mais j'ai besoin de réfléchir, et Min Thu n'est pas exactement la personne avec qui il convient de réfléchir. Je vais m'asseoir sur le perron, dans la chaleur douce du matin. Assia a dessiné une marelle sur le trottoir, elle saute à cloche-pied et Gavi s'amuse à l'imiter, sans y parvenir vraiment. Assia semble s'habituer de plus en plus à elle, en tout cas elle ne pique plus de colères à son sujet. Roni n'est pas là, sinon le jeu aurait déjà tourné au drame ; il a supplié maman de l'accompagner, il voulait voir la « grande école », et contre toute attente, maman a cédé. Ses enfants ont quand même dû lui manquer, alors.

Je suis tellement absorbée dans la contemplation de mes deux petites sœurs que je ne remarque pas que quelqu'un est planté sur le trottoir juste en face de moi, de l'autre côté de la rue. Il s'approche et s'approche, et finalement je lève la tête et je le vois – Raphaël. Il me fait un salut timide de la main, sans dire un mot, même s'il est assez près pour que je l'entende. Assia et Gavi s'arrêtent de jouer et le dévisagent avidement. Il s'agenouille pour se mettre à leur hauteur :

— Dites donc, elle est belle votre marelle ! Je peux l'essayer ?

Gavi prend peur et recule, elle est timide avec les étrangers, mais Assia lui fait un sourire prudent. Alors il se met lui aussi à cloche-pied et commence à sautiller comme une puce. Les filles sont ravies, même si elles ne comprennent rien, et moi j'éclate de rire. Je n'ai pas pu m'en empêcher.

— Viens, Yulia, m'appelle Raphaël du haut du « paradis », et Assia répète en russe.

Ils m'appellent tous les trois et finalement Gavi me tire par la main pour que je les rejoigne. Assia vient généreusement me porter un caillou, je le lance et j'arrive sur la case « paradis », moi aussi. Je n'ai rien dit encore. Raphaël me regarde, il sourit peut-être, je ne sais pas, je fixe un point à sa droite. Puis je me baisse et je prends Gavi dans mes bras, comme pour lever un bouclier entre nous, mais elle se dégage bien vite et prend une craie pour gribouiller sur le trottoir. Raphaël brise le silence.

— Alors, Israël ?

— Israël quoi ?

— C'était comment ?

— Euh… mal. Ma grand-mère est morte.

— Oh non… Au moins tu l'as vue avant, et ta mère aussi.

— Oui, c'est vrai.

— Je suis désolé, Yulia. Tu… tu es triste ?

— Je ne sais pas. Je détestais ma grand-mère.

Il prend un air effaré et je me rends compte de ce que je viens de dire. On n'est pas censé détester ses grands-parents, surtout quand ils viennent de mourir.

— Comment ça ?

— Je t'en parlerai peut-être… un jour.

Je pointe le menton en direction de mes deux petites sœurs, comme si elles étaient la raison de mon silence, alors qu'elles ne parlent pas français et sont complètement absorbées par leur jeu.

— Mais… qu'est-ce que tu fais ici ?

Je m'efforce d'être froide et distante. Je ne veux pas lui donner d'idées. Ça me fait mal de voir son expression blessée.

— Ah ! Je… en fait je… je voulais savoir comment tu t'arrangeais pour les examens, et puis… si tu venais au bal ce soir.

— Oui, je vais venir probablement. Avec Min Thu, qui s'est fait lâcher par son copain.

— Oh, alors, tu y vas avec elle.

— Ben oui.

Je ne le regarde pas dans les yeux. J'ai trop peur de ce que je vais y voir. Je ne le regarde pas, mais je l'entends prendre une profonde inspiration, comme on fait avant de se jeter à l'eau.

— Et… et tu ne voudrais pas aller au bal avec moi ? S'il te plaît ?

Il me prend la main, soudain, et ne la lâche plus. Je ne fais pas mine de la retirer, je baisse les yeux et contemple nos doigts entrelacés. Les siens, longs doigts fins et fragiles de joueur d'échecs, et les miens, petits, ronds et potelés.

— S'il te plaît, Yulia !

Je ne veux pas être cruelle. Je ne peux pas, parce que… je l'aime quand même, un peu, malgré tout. Même si je ne veux pas, même si je ne dois pas l'aimer.

— Bon… d'accord. Mais seulement si on y va comme amis, avec Min Thu, et Thomas, s'il veut.

— Euh, alors je viendrai te cherch…

— On pourrait se rencontrer à l'école, ce serait plus pratique.

Je sens son corps se raidir, et s'écarter imperceptiblement de moi. Il ne répond pas tout de suite. Il ne doit pas comprendre ma volte-face.

— Qu'est-ce qui te prend, Yulia ? Est-ce que… j'ai fait quelque chose ?

— Quoi ? Non, non ! Je… je suis un peu secouée, c'est tout. Mais tout va bien, ce soir, je serai mieux. Je dois me reposer, c'est tout.

— Tu as déjà trouvé ce que tu vas mettre ?

— Mais… oui, pas toi ?

— Bof, non, je n'ai pas eu le temps d'y penser. Je ne trouvais rien qui allait avec le thème. Je vais juste m'habiller normalement, je crois.

— Oh non ! C'est triste, ça. Je croyais que c'était important, le bal…

— Je ne sais pas. Je voulais juste te voir, moi.

— Oui, eh bien… Il faut que je, que j'aille préparer le dîner… On se voit à l'école, alors ? On doit être là à quelle heure ?

— Sept heures, environ. En tout cas, c'est à ce moment-là qu'ils ouvrent les portes.

Il me salue et tourne les talons, visiblement ébranlé par mon attitude. Il ne dit même pas au revoir aux petites, qui ne s'aperçoivent pas de son départ. Alors j'appelle les filles et je rentre dans la maison préparer le dîner.

CHAPITRE ONZE

★ À sept heures moins cinq, je suis encore en train d'essayer de me coiffer de manière élaborée sans le moindre succès. Valia fait quelques tentatives pour me venir en aide, mais elle abandonne en décrétant que mes cheveux sont décidément trop rebelles. C'est vrai, ils ondulent et partent dans tous les sens, et pas moyen de les attacher convenablement, les mèches ne tiennent pas en place. C'est un calvaire. Finalement, paniquée, je décide de les laisser aller sur mes épaules, après les avoir enduits de plusieurs millilitres de mousse lissante. Ils font encore des frisottis, mais au moins ils tiennent. Avec tout ça, je suis en retard, maman tente de m'ajuster ma robe et je me rends compte que je n'ai pas de souliers, juste mes vieilles sandales toutes pourries qui ne tiennent que par un fil. Mais Min Thu sonne à la porte au même instant, et je ne peux pas faire autrement que de glisser mes pieds dedans. C'est Roni qui lui ouvre, tout excité — tout le monde est excité dans cette maison, comme s'il s'agissait de leur bal. Je me précipite dans le couloir à sa rencontre, une brosse et un peigne toujours à la main. Je ne me suis toujours pas maquillée, mais je n'ai plus le temps, maintenant. J'irai sans maquillage, tant pis. Min Thu me regarde, bouche bée. Elle-même a fait en sorte de transformer sa robe de soirée en espèce de tunique vaguement hippie, vaguement réussie aussi. Mais elle est trop belle pour que ça change quelque chose. À voir sa réaction devant ma toilette, je me doute que je ferai exception ce soir.

— Tu ressembles à une princesse russe, murmure-t-elle comme devant un fantôme.

— Qu'est-ce que tu connais aux princesses russes ?

Et je ris. Mais Min Thu continue à me regarder, on dirait qu'elle n'en croit pas ses yeux. Elle demeure rarement aussi longtemps silencieuse.

— Mais… quoi ?

— Yulia… je ne sais pas… tu es changée.

— Tais-toi !

— Non, c'est vrai. Tu as l'air… complètement différente.

— Bon, on y va ou on va être en retard.

Heureusement, papa et maman ne viennent pas au cocktail, et de toute façon il est trop tard. Ils ont tellement été ébranlés par l'affaire « Baba » qu'ils se sont à peine souvenus que j'avais mon bal aujourd'hui. Et puis, maman a formellement interdit à Valia d'accompagner son Fred, donc je ne l'aurai pas dans les jambes. Étrangement, ma sœur ne paraît pas s'en offusquer. La relation entre Fred et elle doit tirer sur sa fin. Min Thu et moi marchons jusqu'à l'école. Je sais qu'elle est un peu déçue de ne pas y aller en limousine (comme quelques-uns des élèves populaires) ni avec un garçon, mais elle semble le prendre avec un grain de sel, maintenant. Elle me raconte les nouvelles que j'ai manquées en partant à Tel-Aviv, la plupart concernant des élèves dont je ne soupçonnais pas l'existence. Nous arrivons devant l'école, et je repère Raphaël et Thomas sur le trottoir, devant la cour. Ils sont habillés presque exactement pareil. Raphaël est juste un peu plus élégant. Il a mis des jeans, une chemise noire et un genre de veston gris que je ne lui ai jamais vu. Son visage s'éclaire quand il me voit. Il ignore complètement Min Thu, mais il lui en faut plus pour la gêner. Elle adresse un sourire éclatant à Thomas, lui colle une bise sur les deux joues et le prend par le bras pour l'entraîner à l'intérieur. Complètement sonné, Thomas la suit, probablement aux anges qu'une fille si belle daigne le remarquer. Je veux leur emboîter le pas, mais Raphaël ne bouge pas d'un pouce, et ses yeux me retiennent. Alors nous restons dehors encore un peu. La porte principale est grande ouverte, avec des flèches partout pour indiquer la direction de l'atrium, comme si on ne la connaissait pas. Même moi je sais où c'est. Par les fenêtres ouvertes s'échappent des bribes de musique et des éclats de voix. De petits groupes gravitent dans quelques coins de la cour, manifestement des élèves de quatrième secondaire à qui on a refusé l'entrée. Je sens comme un élan qui me pousse vers Raphaël, et je dois me faire violence pour ne pas m'élancer vers lui comme l'a fait Min Thu avec Thomas.

— Ça te va bien, les cheveux comme ça, finit par observer Raphaël.

— Ah, euh, merci. Tu... tu ne veux pas rentrer ?

— Oui, oui, bien sûr. Mais... elle est très belle, ta robe.

Mon Dieu, il compte me faire des compliments toute la soirée, ou quoi ?

— C'est ma mère qui l'a cousue. Rien que pour l'occasion. Je pensais que ce serait horrible, mais j'ai été surprise, finalement.

Je me dirige résolument vers l'entrée. J'en veux un peu à Min Thu de m'avoir abandonnée au profit de Thomas. Évidemment, elle ne pouvait pas savoir. Je ne lui ai rien raconté au sujet de Michel, rien du tout. C'est maintenant que je me rends compte de mes lacunes sociales immenses. Durant les six mois que j'ai passés à l'école Cœur-Vaillant, à essayer de m'intégrer, de comprendre le système, je n'ai réussi à nouer des liens qu'avec trois ou quatre élèves. Les autres, ce sont des inconnus pour moi. Des étrangers. Et maintenant, parce que ma grand-mère est tombée malade et est morte et que Michel, le garçon que j'aime, que je suis censée aimer pour toujours mais que j'ai laissé tomber, parce que Michel s'est effondré en larmes pour une raison que je ne comprends pas, à cause de tout ça, je ne peux pas me tourner vers la seule personne qui m'a apporté un peu de chaleur dans mon exil. Je m'aperçois que je ne lui ai jamais parlé de Michel. De Valérie, oui. De mes voisins, de mes anciens professeurs, de mes étés à la plage, des soldats, des kibboutz et des Juifs et des Palestiniens, oui. Mais de Michel, point. Comme si j'avais caché un secret honteux, un événement de mon passé enterré depuis bien longtemps. Je me disais : « À quoi bon ? Ça ne l'intéresse pas… », mais au fond c'était parce que moi-même j'oubliais Michel. Lentement, tranquillement, Michel s'éloignait de mon esprit et Raphaël le remplaçait. Toutes ces pensées tournoient dans ma tête pendant que je monte l'escalier, la musique se fait de plus en plus forte et je n'ai plus aucune envie d'avancer. Mais quand j'atteins l'agora, je ne peux retenir un petit cri de surprise. La pièce est complètement transformée. On se croirait dans un autre monde. Des décors psychédéliques ornent les murs, des boules disco scintillent dans toute la pièce et, au fond, un grand projecteur affiche des images thématiques. Sur le côté, il y a un grand buffet couvert de victuailles. La grisaille qui imprègne d'habitude l'école a disparu. Tous les élèves de cinquième secondaire sont là, en plus de quelques profs. Certains ont osé un accoutrement plus original, mais je suis la seule princesse russe. Les filles portent toutes des minijupes ou de longues tuniques. Je suis prise de panique à l'idée de me jeter dans l'arène, mais j'avise Min Thu près du buffet, toujours avec Thomas, et je fonce droit sur eux, Raphaël sur mes talons. Heureusement, un de ses coéquipiers du club d'échecs se dresse sur son chemin et engage la conversation, donc je réussis à fuir. Min Thu me regarde approcher avec un petit sourire narquois.

— Tu tranches vraiment sur le reste, Yulia, c'est trop drôle !

— Je m'en fiche. Écoute, il faut que tu m'aides, chuchoté-je en tentant de l'éloigner de Thomas qui ne perd pas une miette de notre discussion. Je ne peux pas rester trop longtemps seule avec Raphaël…

— Euh… pourquoi ?

— Parce que, parce que, c'est toi qui l'as dit ! Il est amoureux de moi, et je ne sais plus comment agir avec lui, et…

— Mais je pensais que toi aussi tu l'aimais ? Non ? Vous êtes toujours ensemble. Je pensais que c'était presque officiel, maintenant.

— Je ne peux pas faire ça à Michel…

— Oh, arrête tes histoires, Yulia ! Il faut toujours que tu fasses un drame. Amuse-toi un peu !

— Je t'en prie, Min Thu. S'il te…

Min Thu me fait des gros yeux et j'en conclus que Raphaël est à portée de voix. Je prends une assiette et je la remplis à toute vitesse avec n'importe quoi pour me donner une contenance. Raphaël arrive à ma hauteur en compagnie de son coéquipier, qui me regarde des pieds à la tête comme pour s'assurer que je suis bien réelle. Je commence à regretter de ne pas avoir mis une tunique hippie. Min Thu part rejoindre Thomas à l'autre bout du buffet et me laisse me dépatouiller avec mes problèmes.

— Tu veux danser, Yulia ? propose Raphaël qui décidément n'abandonne pas facilement.

— Oh ! Je… j'allais plutôt manger un morceau, avant.

— C'est une bonne idée, ça. On pourrait aller s'asseoir avec les gars du club d'échecs, là-bas.

— Euh, d'accord.

Nous nous dirigeons vers une table, et les autres gars s'empressent de nous faire de la place. Raphaël, c'est un peu le chef de la bande du club. Non seulement parce qu'il est le meilleur de l'école, mais aussi et surtout parce que c'est lui qui a l'air le plus normal. Je fixe mon assiette sans éprouver la moindre envie d'ingurgiter toute cette nourriture. La musique est tellement forte que je ne comprends rien à ce que racontent les garçons. Ils rient, et Raphaël rit aussi en me regardant. Je fais semblant de m'intéresser aux photos projetées sur le mur en face de moi et d'écouter l'animateur de la soirée, un certain François Janvier, faire des commentaires, mais tout s'entrelace et se fond dans une espèce de bouillie pâteuse. Les gens commencent tranquillement à danser, et peu à peu la piste se remplit tellement que je ne distingue plus qui est qui. L'atmosphère est survoltée, tout le monde bouge, rit et s'amuse, dans un état d'esprit complètement opposé au mien. Dans ma robe de princesse russe, je ne pourrais pas être plus déplacée. Je pourrais m'en aller, ni vu ni connu. Mais ce serait bien trop lâche. Finalement, je n'y tiens plus, je me lève en espérant que personne ne s'en apercevra. Raphaël se tourne brusquement vers moi, la mine paniquée.

— Où tu vas ?

— Euh, aux toilettes.

— Quoi ?

— AUX TOILETTES !

Tous les garçons de la table me dévisagent, mais je suis trop soulagée de m'enfuir pour leur prêter attention. Trop occupée à éviter les danseurs, je me heurte à Mirabelle et j'échange quelques mots avec elle. Je ne sais pas si ça me console, mais elle non plus n'a pas l'air particulièrement en forme. Nous allons ensemble aux toilettes et je m'enferme dans un cabinet. Je ne comprends plus rien. Qu'est-ce que je fais ici ? Je ne vais quand même pas passer la soirée à éviter Raphaël. Il y a une flaque d'eau par terre, et le bas de ma belle robe est tout trempé. Peut-être que j'aurais dû aller dans le Golan visiter Michel. Peut-être que j'aurais dû y aller, et rester là-bas avec lui. Au lieu de revenir. Mais non, ça n'a aucun sens. Je ne pouvais pas, et ça n'aurait rien réglé. Je sors des toilettes et je décide d'aller faire un petit tour dehors. Tout le monde est à l'intérieur en train de se déchaîner, donc je devrais avoir la paix. Je fais quelques pas dans la cour, l'air frais souffle doucement sur mes bras nus. Les nuages s'amoncellent au-dessus de ma tête, et j'entends le tonnerre gronder pas très loin d'ici. Il va bientôt pleuvoir, mais ça ne me dérange pas. Je préfère affronter la pluie plutôt qu'autre chose. J'aimerais danser, tout à coup, mais pas comme eux. Non, j'aimerais danser comme le faisaient mes ancêtres, mes ancêtres russes qui virevoltaient dans des khorotovs et des troïkas, et s'envolaient avec la musique. J'aimerais tant danser ce soir, sans plus réfléchir. J'entends des bruits de pas derrière moi, et avant de me retourner je sais déjà qui vient me rejoindre.

— Raphaël…

Raphaël s'arrête à quelques pas de moi, comme s'il avait peur de trop s'approcher.

— J'aime comment tu dis mon nom.

— Je sais.

— Yulia, je… je voudrais te dire quelque chose.

— Non ! Non, ne fais pas ça…

Il s'approche un peu plus, et moi je n'arrive pas à reculer.

— Tu es tellement belle, dans ta robe…

— Belle, moi ?

Si l'instant n'était pas aussi dramatique, je rirais. Mais Raphaël ne s'en rend pas compte.

— Je me suis tellement ennuyé de toi, quand tu es partie… et j'avais peur, je ne sais même pas pourquoi, mais j'avais peur, que quelque chose arrive. C'est là que j'ai su.

— Tais-toi !

Je me bouche les oreilles et je ferme les yeux et je veux m'enfuir, mais il vient à moi et met ses deux mains sur mes bras, tout doucement.

— Yulia, je t'aime.

— Non. Non, ce n'est pas vrai.

— Mais oui c'est vrai. Je t'aime !

— Oh, Raphaël…

Je me dégage brusquement de son étreinte, il me laisse aller et ses bras retombent mollement dans le vide. Soudain, il paraît comprendre. Je me suis appliquée à dresser une barrière invisible entre nous, et il ne peut plus faire semblant de l'ignorer.

— Qu'est-ce qui se passe, Yulia ? Tu es toute bizarre depuis que tu es revenue.

— Mon Dieu… tu as raison.

Et alors, à ce moment précis, je prends ma décision. Je ne trahirai pas Michel. Peut-être demain ou dans un an je le ferai, mais ce soir, non. Ce soir, je resterai avec lui, qui pleure là-bas dans le Golan. Sinon jamais je ne pourrai dire que je l'ai aimé. Sinon les trois ans de ma vie où nous avons été « ensemble » s'évanouiront dans le souffle murmurant du soir et ne reparaîtront plus, ils laisseront la place aux sentiments et aux passions nouvelles. Je me disais : « je ne peux pas faire ça à Michel », mais au fond c'est à mon cœur que je ne dois pas faire ça, mon cœur qui veut connaître le véritable amour. Je regarde Raphaël dans le fond des yeux, je sens comme un déchirement dans ma poitrine. Il ne comprendra pas, sûrement, il pensera que je le rejette. Que je ne veux pas de lui, alors que c'est tout le contraire. Les dernières paroles de Baba hantent ma mémoire, si amères et si dures qu'elles ont un goût de sang jusque dans ma bouche. Baba, qui a quitté son mari et son pays natal pour une terre inconnue. Baba, qui la veille de sa mort me donnait sa malédiction. Comme je lui suis reconnaissante de m'avoir ouvert les yeux sur le monde ! Comme sa vie égoïste et douloureuse a tout changé pour la mienne !

— Oui… tu as raison. Raphaël, je ne peux pas.

— Mais je croyais… je ne sais pas, je croyais qu'il y avait une connexion spéciale entre nous…

— …

— Tu n'as pas le droit, c'est ça ? Tu n'as pas le droit de sortir avec des garçons ?

Pendant quelques secondes, je songe à sauter sur cette solution de facilité, à dire « en effet, mes parents me l'interdisent », ce qui serait probablement le cas, en plus. Sauf que ça aussi, ça équivaudrait à trahir mon cœur. Je n'ai pas le choix de me montrer cruelle.

— Non, ce n'est pas ça. C'est juste que… moi, je ne t'aime pas.

— Comment ?

— Je ne t'aime pas.

Je le répète, un peu plus fort, pour me convaincre moi aussi. Raphaël ne réagit pas. Il me regarde, un éclat étrange brille dans ses yeux. Comment c'est possible qu'il soit tombé amoureux de moi ? De moi ?

— Tu… aimes quelqu'un d'autre ?

— Oui.

— C'est quelqu'un de Cœur-Vaillant?

— Non.

— De... chez toi?

— Oui.

Il se tait. Au loin, si loin à l'intérieur, les élèves de l'école secondaire Cœur-Vaillant fêtent la fin d'une étape de leur vie, et dans ma robe de princesse russe je suis à des années-lumière de leur joie. Dans son jean et son veston gris, Raphaël ressemble à un mirage, loin si loin de moi. Il se détourne subitement, monte résolument l'escalier, sans s'arrêter ni hésiter. Il retourne au bal, avec ses amis du club d'échecs et Thomas. Je ne fais pas un geste pour le retenir. Je sors de la cour, dans la rue, je ne peux pas empêcher mes épaules de trembler, mes larmes de couler. L'orage qui menace de tomber depuis une demi-heure éclate enfin, je n'essaierai pas d'y échapper. Une Cendrillon déchue, voilà ce que je suis. Et il n'est même pas minuit. Papa était censé venir me chercher pour que je ne rentre pas toute seule. Il n'en aura pas besoin. Je marcherai jusqu'à la maison, puis j'ouvrirai la porte en essayant de ne réveiller personne. J'enlèverai ma robe bleue, le tissu mouillé tombera sur le sol de la salle de bains comme un chiffon. J'irai m'enfouir dans mon lit. Je ne pleurerai pas.

Et demain matin, quand personne ne regardera de mon côté, j'irai me promener dans le parc, je m'assoirai dans l'herbe mouillée de rosée, et j'écrirai une longue lettre à Michel. Je lui parlerai de Baba et de Min Thu et du bal manqué, et